萧乾 主编

新编文史笔记丛书

第二辑

17

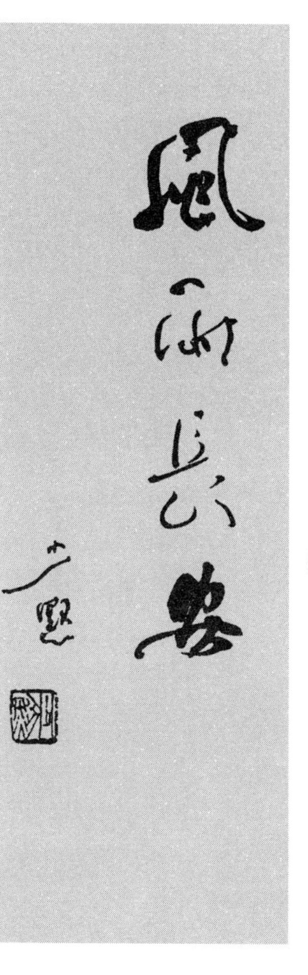

◎西安市文史研究馆 编

●鱼闻诗 段克正 关雎 主编

中華書局

目录

史辙遗尘

道是传奇却是真

性情中人

杏坛·画坛·书林·杏林

秦中自古歌舞地

小谈长安生意经

古鼎残碑故事多

一方风水

诗骞联蒂

旧闻拾零

新编文史笔记丛书

序

萧　乾

读书界向来对野史有所偏爱。野史大多是信手拈来的历史片断,且往往出自亲历者之手。文直事核,不虚美,不隐恶,而文笔潇洒自如,意味隽永,自然朴实,篇幅不长;可以摊开来仔细咀嚼,也可供茶余酒后、行旅倥偬中,随手浏览。

鲁迅在《华盖集》中,曾几次对野史表示过好感。在《忽然想到》一文中写道:“历史上都写着中国的灵魂,指示着将来的命运,只因为涂饰太厚,废话太多,所以很不容易察出底细来。正如通过密叶投射在莓苔上面的月光,只看见点点碎影。但如看野史和杂记,可更容易了然了,因为他们究竟不必太摆史官的架子。”又在同书《这个与那个》一文中说:“野史和杂说自然也免不了有讹传,挟恩怨,但看往事却可以较分明,因为它究竟不像正史那样地装腔作势。”

全国文史研究馆所编的《新编文史笔记》丛书,内容也属野史杂说的范畴。我们希望这些以亲闻、亲见、亲历为主的轶事掌故、琐闻杂记,写人、事而摒除误会曲解,述历史而符合真实面目。

作为一种短隽有味,文字清奇而又雅俗共赏的文学体裁,笔记在中国具有悠久的传统。它始自魏晋,盛行于宋代。南朝刘义庆的《世说新语》,北宋沈括的《梦溪笔谈》,南宋陆游的《老学庵笔记》,明朝张岱的《陶庵梦忆》,清朝纪昀的《阅微草堂笔记》以及20世纪30年代初丰子恺的《缘缘堂随笔》,都是文学史上的奇葩。然而,近年来笔记乏人问津。因此,我们出这一套书,也包含着挽回颓势之意。

全国三十二所文史研究馆拥有雄厚的稿源,两千多位馆员和各馆联系的社会人士,都是丛书的撰稿人。他们都是文史界的耆宿,见多识广,阅历丰富:有的反对过帝制,有的在“五四”运动中扛过大旗,他们目睹过军阀的横行霸道,也经历过艰苦卓绝的八年抗战。这些历尽沧桑的饱学之士,他们的所见所闻,都是弥足珍贵的史料。

本丛书分辑出版，分别由各地文史研究馆编辑，内容亦以本乡本土为主。因此，各册势必具有浓厚的地方色彩。

本着笔记固有的传统，所收各文题材不嫌庞杂。举凡与文史有关的政治、经济、军事、文化、社会等方面，或记闻见杂事，或叙往昔交游，或忆社会百态，均在搜罗之列。时间跨度则自清末以迄1949年为止。这正是中华民族从闭关自守到走向世界，从落后羸弱到奋发图强，是天翻地覆、风起云涌的大半个世纪。其间，发生过多少可歌可泣的事迹，涌现过多少杰出的人物。以这一时间跨度为背景题材写出的笔记作品，必然是内容最为丰厚的。

在选稿标准上，我们坚持史料一定要真，内容要新；既要防止以讹传讹，也力避炒冷饭。在写法上务求短小精悍、生动活泼。每篇以千字为度，希望借此在文风方面，提倡一下简约。在版式上，则想做到既利于阅读，又便于携带。

恳切希望文史界方家及广大读者，不吝赐正。

宋伯鲁严劾李莲英

张应超

清光绪二十年(1894),宋伯鲁刚任监察御史不久,便参劾权倾朝野的总管太监李莲英,此事成为轰动一时的新闻。其事经过如下:李莲英之侄太监李长才,与太监张受山等看戏时纠众行凶,又拒捕杀伤差役。被捕后,光绪皇帝下旨交刑部严办,刑部尚书薛允升根据清朝刑律,上报处以死刑。李莲英得讯大惊,急求慈禧为其侄开脱,又活动与他关系密切的朝廷大员出面说情。光绪皇帝在各方压力之下改变初衷,致使此案久拖不决。宋伯鲁挺身而出,上了《劾太监寻衅疏》，义正辞严地写道："列圣有训，皇上有旨，刑部有法。其应减也，不待李莲英之周旋也；其不应减也，李莲英安得而周旋之？"薛允升也据理力争。结果，张受山被判死刑，立斩；李长才被判斩监候(死缓)。时论称快。

曹印侯及其题照诗

王明德

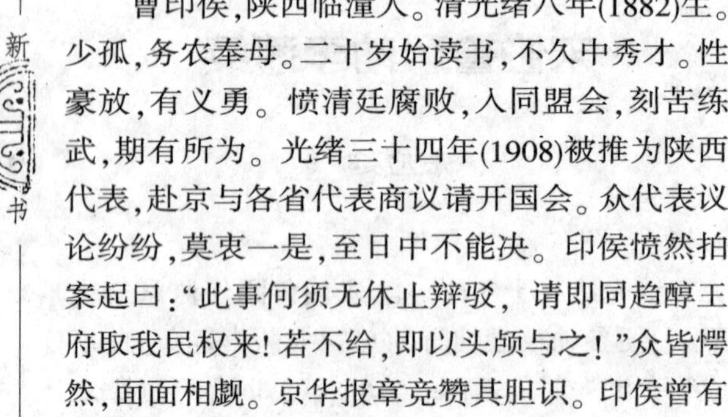

曹印侯，陕西临潼人。清光绪八年(1882)生。少孤，务农奉母。二十岁始读书，不久中秀才。性豪放，有义勇。愤清廷腐败，入同盟会，刻苦练武，期有所为。光绪三十四年(1908)被推为陕西代表，赴京与各省代表商议请开国会。众代表议论纷纷，莫衷一是，至日中不能决。印侯愤然拍案起曰："此事何须无休止辩驳，请即同趋醇王府取我民权来！若不给，即以头颅与之！"众皆愕然，面面相觑。京华报章竞赞其胆识。印侯曾有《自题小照赠友人》诗自况：

天地盗完犹恨少，虚空踏遍尚求深。
江山河岳开王霸，怒马神龙铸铁身。
潮翻宇宙风颠海，日照中天月满轮。
若问先生真实相，玻璃肚子金刚心。

陕西辛亥起义，印侯与刘霭如率众光复临潼县；又募勇士六千余，持自制刀、矛、铡刀、土枪驰风翔抗清军，战功斐然。袁世凯窃国，遭排挤迫害，劳愤成疾，养病汉口。二次革命时，黄兴约其返陕举旗倒袁，将行事泄被捕，经营救迁杭州养病。民国三年(1914)卒。

于右任有诗悼曰：

跃马横戈西复东，手持白刃定关中。
西湖遁去呕心死，落日河山起大风。

郭希仁有评曰："性敏魂雄，倜傥多智。飞则冲天，鸣则惊人！"

焦易堂与汪精卫关于中医的一场论争

史国华

30年代初，汪精卫盲目崇拜西方文化，歧视中国传统医学，竟利用职权，以政府名义明令取缔中医，激起了全国中医师的反对，也激怒了焦易堂。

焦易堂，陕西武功县人，早年加入同盟会，参加辛亥革命，为国民党中央委员，曾任国民党南京政府的最高法院院长，对中医学颇有研究。为取缔中医一事，他曾当面向汪精卫据理争辩，并联络国民党元老张继、于右任等对汪施加压力，劝其收回成命。汪精卫理屈词穷，虽口头答应考虑，但迟迟未见下文。焦易堂一气之下，令秘书冯逸铮按其意见，撰写文章送报纸发表。文中有云：

"秦始皇焚书坑儒，而对医药书籍明令豁免。秦始皇古之暴君也，二千多年前犹知中国医学之重要，不准焚烧。而今民国政府竟然明令取缔，其暴虐无知，实有甚于秦始皇。如不收回成命，则国民党必将遗臭万年，汪精卫身为执政大员，如不收回成命，亦将成为千古罪人。"

报纸编辑慑于汪精卫的权势，未能刊登这篇斥汪文章。但汪精卫自知理亏，不得不收回取缔中医的成命。以后不久，中央国医馆成立，焦易堂兼任馆长，名中医施今墨任副馆长。时余与焦易堂秘书冯逸铮比邻而居，并曾为其抄录文稿，故于此事知之颇详。

刘允丞千里营救王若飞

马文彦

刘允丞先生名守中，陕西省富平县人，同盟会会员。早年参加辛亥革命，继而从事进步事业，厥功甚多，且交游甚广，尝自称："结四海之众，连百万之师"，"惟笃朋友一伦"(《六十自述》)。

刘先生对革命之忠，对朋友之诚，堪称难能可贵。大革命中，他在北京和郑州两地，曾相继结识李大钊和王若飞，畅谈甚欢。后来，他本人也由于反蒋而被迫隐居各地友好处，往往自顾不暇；但当他闻得王若飞在绥远被捕之讯，即决心前往营救。首先通过几个友人，说明将赴华北一带考察，取得了合法证明，随后立刻启程，迂回曲折，跋涉千里，间道去见傅作义将军。当时各方面直接、间接参与营救的人很多，和傅将军也都有过一些接触。再经刘与傅详谈后，傅遂决定释王。当傅命令监管人员带王到司令部时，王还以为这是他的最后时刻到了，直对傅说："我死后希望将我的尸体埋在王昭君墓旁，以便我们王家的同乡常在一处。"

17世纪中，富平李天生三千里赴友人之急，营救入狱的顾亭林，传为佳话。约三百年后，刘先生又不辞往返数千里，营救被捕的王若飞，实可比美前贤。

杨虎城自我评价

马文彦

1937年5月某日，我和邓宝珊将军同在上海杨虎城将军住处。杨将军看见邓将军在床上有点打盹儿的样子，就和我走到院内的小花园去谈话。杨将军告诉我说："你们今后谈起我来，再不要谈那些五马长枪(陕西话，光辉事迹之意，犹言过五关斩六将)的事。根据我自己思考，我这大半生只作过三件事：第一件事，我18岁的时候杀了蒲城县的大恶霸李桢，为蒲城人民除了一害；第二件事，我把孙中山的民主革命在陕西地区一直坚持到底；第三件事，1936年双十二，我和张学良将军共同发动了西安事变，达到了停止内战、一致抗日的目的。其他的一些小事就不足道了。”

清风高拂“待雨楼”

范文豹 稿　王长安 整理

1937年，先父范紫东先生在西安后宰门购得一宅基，营造家室。先父时年六十岁，劳碌一生，有此新居，不胜欣喜。曾自撰对联曰：“三十年前曾学稼，六旬而后始营巢。”

新居上房有楼三间，取名“待雨楼”。以此命名者，“盖连年常望雨也”。新居落成后，先父赋诗以志喜：“数十年来笑处裈，今朝紫燕语温存。墙连明代秦藩府，路接通衢后宰门。台上客来宜啜茗，楼中酒熟共开樽。名原在眼瞻龙首，不学荆公慕谢墩。”一般人很难想像先父一生清贫，淡泊自守，居住逼仄，如处裈中，而晚年有此新屋的欢欣与满足。

待雨楼营建时，长兄范仲伟在武功县任推事。听说家中盖房，便寄回一笔钱款，不料引起父亲疑心，待岁末长兄回家省亲时，将长兄唤至书房审问道："你寄回的钱收到了，但我没有动。这笔钱数不算小，你得把来路讲清楚。"长兄一听，心里明白是父亲在查账，便正襟危坐，将每月薪俸若干，衣食花销若干，积蓄若干等等，一一回禀明白，并道："父亲教诲，从不敢忘记，平日生活节俭，才有这笔积蓄。"父亲听毕，拈须颔首，又正色道："我的脾气你是知道的，来路不正的钱我是不用的。你在法界供职，一定要洁身自好，清正廉明，堂堂正正做人。"长兄连连点头称是，父亲才说："你的这片孝心，我收下了。"

"米儿面县长"张法杰

孙龙光

张法杰，字汉三，长安狄寨人。西北大学毕业。自1937年起，历任朝邑、富平、三原、长安等县县长近十年。

张法杰从政尚俭，出外常骑毛驴，人称"毛驴县长"。1943年8月，正值张法杰在富平县长任内，省府派了位姓黄的督察来县考察。黄某出必乘轿，食必酒肉，很难侍候。负责接待的县府秘书王益三被搞得手足无措，急忙把到专署开会的张法杰县长请回来。张闻言一笑说："好，我明天侍候这位黄大人。"

翌日晨，张法杰吩咐县府厨师，做他经常吃的家常饭，随后来到黄督察室外，敲敲门说："本县近来到专署开会，手下多有怠慢，望督察多多包涵。从今日起，我亲自陪你检查工作。"二人见面略道寒暄后，张接着就介绍县情，吁请黄督察转告上级削减摊派，制止拉丁，增发教育经费。直到王益三催请吃饭，才邀黄某到饭厅说："黄督察不辞辛苦，亲临敝县体察民情，今为督察专备便饭，请勿见外。"黄某见桌上仅一碟辣子，一盘酸菜，两碗稀饭，几个馒头而已，鼻子里哼哼着，很不高兴。张端起碗说："这是农民喝的豆子米汤，这是农民腌的酸菜，既清热又消暑，请督察品尝。"说罢自己先大吃起来。黄某内心十分不快，却又不便发作。这天的午餐是小米烩面条(即米儿面，关中农家的一种家常饮食)，调料亦只有辣子和盐。望着碗里稠呼呼的米儿面，黄某憋了一肚子火，只得鼓起眼珠子勉强吃了半碗。一连三天的米儿面酸菜，难倒了这位督察大人。第四天一大早，未等开饭，黄某就匆匆告辞，溜之大吉了。

从此，张法杰又多了一个"米儿面县长"的雅号。

李梦彪仗义执言

左　家

1946年,陕西省参议会召开期间,一位商南县籍的省参议员,将一份揭发该县县长王慕曾罪行的材料,亲自送达西安参府巷内的文化通讯社,请求刊发,声言所揭内容全属事实,愿文责自负。

王慕曾,原系陕西省主席祝绍周的侍卫员,平日只识枪刀,仅凭主仆关系被外放为县长。到任后恃仗权势,贪赃枉法,无恶不作,县民敢怒而不敢言。

文化通讯社将此材料字斟句酌后,当晚作为新闻稿刊印发出。第二天西安各报除国民党党报外,大多在显著版面刊载,于是省城轰动,舆论大哗。

消息传到商南县,县议长即行召集会议,讨论此事。正当大家纷纷发言时,王县长突然驾到,质问谁是揭发人?且不待回答,即拔枪射击,议长当场毙命,副议长企图越墙逃命,又被追及,一枪击中。

县城顿时气氛恐怖,民心惶惧。血案的消息很快传到省城。省参议会上群情激愤,纷纷质询陕政当局。省副议长李梦彪,乃陕南大老,更是

怒不可遏，除在会上痛斥王慕曾罪行外，还特乘轿车来访文化通讯社。笔者迎迓接待，只见他须发皓白，长髯飘胸，气宇轩昂，声若洪钟，令人一见即肃然起敬。他从长衫中取出一纸发言稿，要求代为发布。笔者披阅此稿，见其结语为“古今中外，无是政体”，正觉为难，忽又听他慨叹说：“古时县令称父母官，意思固然在显示威严，但亦须爱民如子。今日县长称为‘公仆’，自应尽忠职守，多为县民办好事。不想竟比从前的县太爷还凶恶，岂不可叹！”

文化社当晚果然一字未动将此发言稿刊印发出，次日见诸西安各报，陕省当局大为震惊！据闻省府林秘书长当即召李责问，而李则严词抗辩，拂袖而去。至于王慕曾，省府迫于舆论压力，声言将其押解西安法办。此后法院如何发落，则寂然无闻矣。

吴宓戏论“陕西冷娃”

曹世证　刘仲兴　朱　角

1947年寒假中，北平陕西同乡会特邀辅仁大学英语系著名教授吴宓先生讲话。吴为泾阳人，以同乡故，谈话颇随便，曾十分风趣地说及：咱们陕西人的性格特征，可用倔、犟、硬、顶、碰五个字概括。其后，东北大学地理系某陕籍研究生，又对此五字加以诠释曰：说话倔、做事犟、个性硬、爱顶牛抬杠、不服输、好与强者比高低，故而素有“陕西冷娃”之称。

吴宓教授国学根底深湛，又曾在牛津大学攻读英国文学，其学贯通中西，是我国中西比较文学研究的早期开拓者之一。他还以“红学”研究闻名于南北学界。其人衣着在当时学人中亦为少见：身穿长袍之外，复套以黑缎马褂，头戴灰色呢帽，手提弯拐手杖，不中不西、不今不古，浑身上下透着一股“一肚子不合时宜”。“冷”字在陕西话里也包含着出人意表，不合时宜的意思。

吴宓教授是清代著名陕商泾阳安吴堡吴家的后裔，“文革”中被“红卫兵”以皮鞭押回原籍。所幸其乡党尚有憨厚耿直、侠肝义胆的秦汉遗风，照例供其口粮、吃饭不误，直到后来病故。

八十老翁斥佞人

惠济时

曾任川陕甘三省边防总司令的祝绍周，在陕期间，杀人无算。知名的爱国人士，如陕北的杜斌丞，陕南的安汉，都被他以莫须有的罪名枪毙，陕西人民对祝恨之入骨。当1948年祝卸职离任时，西安市参议会竟以全体市民的名义为祝绍周送金钥匙，以表彰祝治陕的“功德”。市议会议长是师子敬先生的老友李仲山。师先生知情后亲自见李，话不投机，起了冲突。李以议长之威宣告：会外之人不能干预。师反驳说："我是市民之一，要在报上声明，送金钥匙无师子敬。认贼作父，吹捧求荣，师子敬绝不为也！"言罢愤然而去。随即到青年报社，对报社主笔梁益堂说明详情。第二天青年报社载出题目是："师老(师子敬)年已八十多，敢替市民来呼吁，豪言壮语道真情，送金钥匙为什么？"当日报纸顷刻售空，轰动一时。人们无不为师老的正义行为而称快。

关中书院与秦人风骨

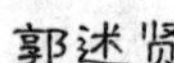

郭述贤

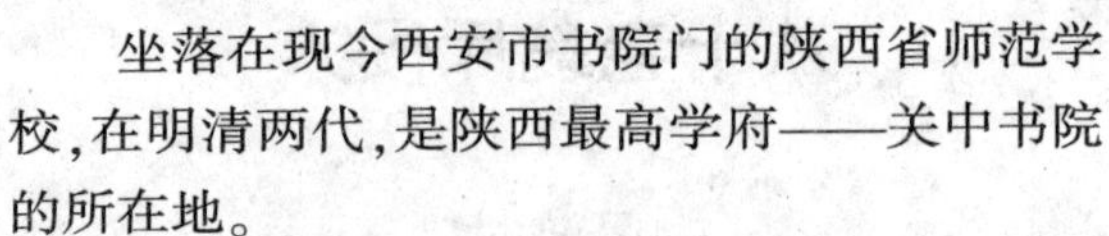

坐落在现今西安市书院门的陕西省师范学校，在明清两代，是陕西最高学府——关中书院的所在地。

明万历三十七年（1609），陕西布政使汪可受、按察使李天麟等为罢官归里讲学的关中大儒冯从吾在这里建立了著名的关中书院。冯氏之学，以"天地万物一体为度量；出处进退一丝不苟为风操"。天启四年(1624)，魏忠贤当权，声势显赫，炙手可热，召拜从吾为工部尚书，以示笼络之意；而从吾连疏力辞，拒不从命，并把关中书院作为评论时局，抨击魏忠贤的舆论阵地，当他“立会阐道时，环而聆听者过千人”。他的学行对陕西地区人才的培养和社会风气的养成有着深远的影响。后人曾评论称：“天下皆建(魏忠贤)生祠，陕省独无，以士皆守冯少墟(从吾号)廉耻之教也。”

到了清初，闻名海内的陕西大儒李颙(二曲)等也曾在此讲学。乾隆中，孙西峰主讲书院，培养了大批人材，韩城状元王杰就是其中之一。至于近世，长安著名学者柏景伟担任书院主讲。他倡导“严义利之辨，审出处之宜，忧乐关乎天下，痛痒系乎生民”，发扬了陕西学人刚直不阿，不偏不党的风气。他的学生中著名者有：长安赵舒翘，晚清著名的法律家；礼泉宋伯鲁，“戊戌维新”的积极参与者。

有清一代，对关中书院曾多次修葺。到民国时，书院房屋总计三百七十余间，占地一百三十余亩。书院内除建有池塘假山外，还广植花草树木，风景秀丽。

光绪三十二年(1906)陕西巡抚恩寿、藩司樊增祥将关中书院改为两级师范，这里又成为陕西全省第一所师范学校。

陕西辛亥起义中的火头军李芹溪

王明德

李芹溪，号泮林，陕西蓝田县人。原姓薛，名松山，襁褓中生父病逝，母亲带其改嫁本县李家，遂易姓而未改名。芹溪之名泮林之号，系民国初年于右任所取，晚年以芹溪行世。十三岁时，因遭养父责打，出走陕西兴平县，随作厨师的舅父学烹饪，间习拳棒。烹饪技艺高明，晚清二十余年间历游陕、甘、晋、豫、直隶、京师等地，多在官府主厨。1900年，八国联军陷北京，慈禧太后携光绪帝遁西安。地方官征派松山入行宫为慈禧治馔，所烹菜肴羹汤甚合慈禧口味，得其召见，因晋见时身穿白绸衫裤，慈禧称其“绸子李”。宫中遂以“绸子李”呼之。

李松山多年出入官府，又曾入宫廷，目睹满清统治的黑暗腐败，又受同盟会人士影响，遂与时任陆军学校司号员的张云山(后为秦陇复汉军兵马大都督)结为烧香兄弟，参加反清秘密组织。1911 年 10 月，陕西辛亥起义中，他带领炊事班青壮二十余人，随起义军入城，占清军装局，又参加攻打满城，作战英勇，被誉为“铁腿铜臂的火头军”。陕西新政权建立，为有功者授官赐赏。张凤翙、张云山等议委松山任渭北税务局长，李坚辞不受，只求资助在西安开设饭店，以展其长。二张等即从“胜利果实”中拨款，在西安钟楼东南角开设高级酒楼一座，名“曲江春”，系民国前期三秦饮食名店。倒袁护国及北伐时期，该店又为陕西革命人士秘密聚会之处。于右任返陕时，曾亲临该店专访李松山，盛赞其辛亥起义之劳，为其取名赐号，并为该店内两个高雅餐厅亲题：“唐醉白处”、“晋卧刘居”匾额两块。封至模(戏曲艺术家，兼擅写生)曾为其亲绘肖像一幅。

西安第一个由妇女提出的离婚案

姬　逸

1927年春,西安围城解除后,妇女解放运动出现了新的高涨。当时,陕西省政府应"西安三八国际妇女解放纪念大会"的要求,颁布了《陕西暂行婚姻条例》。西安的妇女界一再集会,提出保障妇女权益的十项建议,其中之一即是:"结婚离婚绝对自由",要求政府付诸实行。时隔不久,社会上就接二连三地出现了由妇女提出的离婚案。

最早提出此类诉讼的,是西安女子师范学校学生肖桂藩。当时的《陕西国民日报》曾作如下报道:

> 肖桂藩女士与朱子愫君结婚闻已四年。肖为女师学生,朱系福音信徒。二人思想不同,时起冲突。因由肖女士提出离婚,在朱君方面狃于旧俗,决执不许。现已起诉地方法院。(1927年3月20日《陕西国民日报》)

对于此类离婚诉讼,不仅当时的守旧派坚决反对,就连当时的左派似乎也不很赞成。一周以后，同一报纸又发表了一段类似编者按的话：

> 惟是离婚问题是社会上一大问题，也是现时难以解决的问题。所以我们的意见，现在的青年男女不如少做点两性斗争，多做些政治和经济的斗争，把这两性斗争的问题，容以稍长时间来解决。不知正在发生婚姻问题的青年男女以为如何？

无怪肖桂藩提出的离婚诉讼，很少得到赞许。她所说的“思想不同”与当时准许离婚的十种理由没有一个可以对上号。所幸的是，她提出的离婚申请最初虽未得到法院的批准，但在妇女协进会的帮助下，她并未气馁，仍然坚持向报社，向国民联军驻陕总司令于右任申诉要求，终于取得了舆论和政府的支持，使法院重新判决准予离婚，比一般同胞早半个多世纪享受到了“无过失离婚”的自由。

刘允丞记于右任、章太炎旧嫌事

赵文杰

1983年夏，余受托整理富平刘允丞先生遗稿。刘允丞早年加入同盟会，为革命中坚，深得孙中山先生器重。辛亥以后，在反袁斗争、靖国军战役以及“北京政变”等重大政治事件中亦多有建策谋划之功。然于平日军马倥偬、政务纷繁

之际，仍手不释管，其所拟函电及每日记事之丰，多达数百册。1937年5月先生寓沪期间，曾嘱郑伯奇加以整理，意在付梓。旋以抗日军兴，事遂不果。

1941年10月先生逝世后，遗稿笥存尘封达四十年。1981年，撰写文史之风再起，而先生遗稿遂在多方借阅求证中散于各地。余所得见者，仅十中之一二耳，但其中仍不乏文史价值极高之作，如1936年10月9日之日记，叙述于右任与章太炎的一段往事，即一例也。日记原文如下：

右任跋章太炎先生《上孙中山先生书》三通（孙任大元帅时，章入滇联唐继尧），有贬章语。予与张溥泉劝其不可随意。右任气失平，言章"屡犯政府"。予谓："政府诸公不过数年数十年事业，太炎已自千秋。所爱者党人，所犯者谭延闿之流，尚不足存为百世公论耶？"右任拂衣入小屋。予曰："此言实出于爱兄，比如教师比武功夫，不胜，则跌打重矣！"及写成，众人阅之，已暗自削去其疵类。右任深于世故，娴于文辞，仓卒之间亦能面面俱到。然结语曰"以讲学终"，则又隐含"与政府不合作"。既袒政府要人，又自报复民国十年之怨。

十年，右任为陕西靖国军总司令，井勿幕被刺，胡笠僧仍幽羁西安。彭仲翔、王普涵为于右任代表，私与曹锟、吴佩孚勾结以敌陈树藩。陈附皖系首领段祺瑞。于亲直系首领曹、吴（直系初为冯国璋），盖欲以北洋派制北洋派也，要与党义未能尽合。故直系入关之阎相文，实为于迎。于无实力，部属纷纷接头。及至阎相文服毒死，冯玉祥继督陕西，予以母丧退居富平。

窃以为皖直相攻，阎冯相残，皆北洋败裂之肇。使人说陈树藩坚持（渭）河南，靖国军沿（渭）河北取同州等县窥潼关，则入关直军不敢深入，革命旗帜永飘西北矣。而于、陈均不知机，背戾愈甚。冯乃援胡笠僧为助，于又与胡顿生龃龉，右任遂踉跄而去。

太炎致书右任，为诛心之论。其书曰："魏武云：'于禁从孤三十年，何以临难不如庞德。'思君家法为之慨然！"太炎素近笠僧抑右任。右任于太炎生前畏其笔墨深刻，不敢作一字声辩。今日乃得反之也。

余曾以此质诸已故西安市文史馆馆员郭叔蕃先生(靖国军总司令部副官处处长)。郭老言，章太炎致于右任书寄到之日，于已离三原往武功依杨虎城。他所看到章函的原文是："魏武曰：'于禁从孤三十年，临难不如一庞德'，思君家法为之慨然！"与刘记略有不同。

章氏此语盖在讥讽于右任之易于屈节也。一语既出，驷马难追，遂致好友失和，笔底阳秋可不慎乎！

孙文密令

王翰章

1987年7月应凤县公安局、文化局的邀请，我与陕西省文物局陈孟冬、刘合新等同志去凤县鉴定文物，在县文化局文物库房偶而发现孙文密令一件。原文为："密令派大本营出勤委员李自立赵西山前赴陕西传谕同志各军将领迅速协同一致讨贼救国此令孙文中华民国十二年九月四日。"密令正中钤盖"中华民国陆海军大元帅之印"，印文为阳文篆书，共三行，行四字，孙文名下钤盖"孙文之印"四字，印文为阴文篆书，横排。

据县文化馆同志谈，此密令系赵西山之女于1987年捐献。赵女称她家原藏有关辛亥革命文物甚多，"文化大革命"中大多被毁，只有此密令夹在一本书中，幸存下来。赵西山(1892—1936)名鼎中，字西山，凤县唐藏乡人。清邑庠生，曾在县署任职，因顶撞县知事，愤然出走，后加入同盟会。1922年奉陕西靖国军总司令于右任之命，赴广州觐谒孙中山，报告陕西军情。1923年9月4日在广州石龙被孙中山任命为大本营出勤委员，持孙中山密令联络各省同志，遍历关内外诸军。1924年10月22日冯玉祥、胡景翼、孙岳在北京发动政变，囚禁曹锟，驱走吴佩孚，通电恭迎孙中山北上主持国是，赵西山偕同二军代表寇遐谒孙中山于天津。国民政府奠都南京后，曾任国民党史史料编纂委员会采访委员。1936年在西安寓所病故。

刘和珍遇难纪实

张应超

刘和珍烈士是1926年"三一八"惨案中牺牲的著名烈士。她的遇难经过，鲁迅先生的《记念刘和珍君》一文未作记载。当年惨案的亲历者，陕西旅京学生会主席郑自毅先生(当时名郑维藩)生前曾向笔者讲述了刘和珍在他身旁遇难的经过。

3月18日上午，北京各校学生及各界爱国群众五千余人，在天安门广场集会，通过了督促国民军为驱逐帝国主义而战、组织北京市民反帝大同盟等决议，会后赴铁狮子胡同执政府门前请愿。郑自毅是中国法政大学学生，与刘和珍都带着传单向群众散发，见面时还互相打了招呼，但当时并不知道刘和珍的名字，只是从校旗上知道她是女师大的学生。

请愿群众推举李大钊、于树德、顾孟余等五人为代表，进执政府交涉，要求面见段祺瑞。过了一会儿，李大钊等代表向群众说，段执政拒不

接见。群众遂愤怒地高呼着"打倒列强除军阀"的口号,向执政府冲去。卫队向空中鸣枪之后,并未吓退群众,随即开枪射击。铁狮子胡同地方狭小,赤手空拳的群众人多拥挤,无法卧倒,只好转身蹲伏后退。混乱之中,刘和珍被挤到郑自毅近旁。突然,一颗子弹从郑自毅身边擦过,擦伤陕籍北大学生赵绍西的胳膊,击中刘和珍背部,刘当即倒地。

几天后,报刊上登出死难烈士照片,郑自毅才知道在自己身边遇难的女学生是刘和珍。3月25日,北京女子师范大学为刘和珍、杨德群二烈士举行追悼大会。郑自毅与赵绍西联名送了一副挽联痛悼二烈士。赵绍西是以陕西旅京学生会成员名义参加游行的。这次惨案中遇难的还有陕籍北大学生张仲超。

麻辫子炸弹

丁 洁

民国十五年(1926)农历三月五日上午,西安城内居民听到东方有"隆隆"的炮声,自远而近地向西安逼来。几小时以后,众口相传,说是吴佩孚所部、曾做过陕西省长的刘镇华,率领镇嵩军攻打西安来了。这就是震惊三秦的西安围城事件。当时,有"二虎"之称的杨虎城和李虎臣,凭借西安雄伟的城墙，率军坚守，等待救援。自三月五日至十月二十四日，攻守历时七个多月，城中军民几乎到了弹尽粮绝、山穷水尽的地步。饿死的、中流弹身亡的、因忧病而死的，不计其数。人食狗，狗食人，屡见不鲜，真是惨绝人寰！但城中军民坚持抵抗，毫不懈怠。为了抵御抗击敌军，他们把能用的武器，不论新式、老式或古式的都用上了。如清代遗留的叫做“大将军”、“二将军”的锈迹斑斑的铁炮，也拉上城头，装了铁丸火药，轰击敌军。因围城日久，守城军队的枪炮弹药越来越少，于是设在城西南角南马道巷南头专造军火的机器局，不仅大量制作重型机枪、步枪和各种子弹，还造出了一种特型手榴弹。这种手榴弹弹头较大，像个黑色的大皮蛋，弹身有凸起的长方块花纹，弹顶装上带有弹簧的撞针，弹的后部装有铁环。军士们在铁环上拴了麻辫，叫它“麻辫子炸弹”。作战时军士用力抡动麻辫，然后甩出去上百米远，遇物或触地爆炸，杀伤力较大。这在手榴弹的使用上是一种创新，它称手好用，在这次守城战役中立下了不小的战功。

革命公园“万人冢”

赵文杰　张剑影

革命公园是1927年为纪念围城时死难军民而修建的。

1926年4月16日，北洋军阀刘镇华率镇嵩军近十万人由河南进入关中，围困西安，时间长达近八个月。

西安被围困期间，城内病、饿而死和战死的军民达数万人。1927年春，于右任任国民联军驻陕总司令，主持陕政，为纪念死难军民，组成“陕西省革命大祭筹备委员会”，选择皇城(今新城)东门外空地，集骨安葬死难军民并修建革命公园。

3月12日(孙中山逝世纪念日)，国民联军驻陕总部举行革命大祭，在公园北段集殓殉难骸骨之东西坟地上，冯玉祥率军民数万，负土成冢，并竖丰碑两方。东冢为殉难人民碑，碑辞为：

> 长安之城为革命守，长安之民为革命以牺牲，而求解放兮，将脱人民于锁纽。世方同此饥疲兮，郁长围之既久。伫白日兮青天，慰幽灵兮不朽！

西冢为阵亡将士碑，碑辞为：

> 民族之战士，战于是，守于是，葬汝骨于是。世界不平决然扫荡，民生困穷孰为此

状？以主义为垣墉，以精诚为甲仗。碧血兮人间，繁华兮冢上，革命成功兮歌永壮！

两冢前碑额横书“自由平等”四字，题为“陕西革命殉难军民合冢铭”，系刘郁芬所立。今碑已不存。

“严红楼”和“张红头”

晋震梵

1927年，于右任在西安膺任国民联军总司令，古城一时“红”风大张，革命气氛十分热烈。陕西省建设厅长严庄指示将皇城(即新城)、钟楼用红色颜料上下涂刷，且更名为“红城”、“红楼”。一城一楼，巍然屹立，红光四射，耀眼炫目，而严庄由此亦得“严红楼”之名。西安公安局长张子俊不甘其后，亦命令全市警察所戴制帽之帽顶一律用红布缝制，故大街小巷红头穿梭，时人便呼张为“张红头”。

“我部无有伍志平”

涂宏恩　孙存汉

孙蔚如将军早在第一次国内革命战争时期就同共产党人史可轩、魏野畴、南汉宸等时相过从。以后,他衷心赞同共产党的团结抗日主张,对蒋介石的“攘外必先安内”的误国政策十分不满。1932 年 2 月,蒋介石突然下令,要孙蔚如率三十八军前往汉中,接替胡宗南部与红四方面军对垒。

当时红四方面军已将川北苏区逐渐扩大为川陕根据地。孙蔚如率部抵达汉中后,即暗中派其军部参谋武志平、张汉民(二人均系共产党员)先后十余次赴川北与红军秘密联系,明确表示十七路军及他本人同情革命,愿与共产党友好相处,给红军接济适量军事物资,决不作真正进攻,并在驻防区内尽可能减少对人民抗日民主运动的限制。由于孙蔚如将军作出了以上保证和许诺,并付诸实施,红四方面军由此顺利地建立了有名的“川陕交通线”。

蒋介石和胡宗南一直未放松对孙将军及其部队的监视。1934 年的一天,孙蔚如将军突然接到国民党中央政府的电报,说武志平是共产党员,要孙蔚如从速押送南京。孙将军看过电报,着人叫来武志平，让武看了电报。当时在场的人都为武志平捏了一把汗。就在这时，孙将军突然像想起什么事情，要过电报又仔细看了一遍，忽然大笑起来。原来电报上将武志平的“武”字写成了“伍”。他马上吩咐说：“好!复电南京，就说我部无有伍志平！”随即送给武志平二百元银元，要他暂时躲起来。

七贤庄的第一位主人

田克恭

以“八路军办事处革命纪念馆”闻名中外的七贤庄，位于西安市北新街北段，是 1936 年初西安地产公司投资修建的一排东西走向的七座院落。解放前，它长期是八路军驻西安办事处所在地，但它的第一位主人却是开设牙科诊所的海伯特·温奇。

海伯特·温奇是德国犹太人，德共党员，在柏林大学获得牙医博士学位。1931 年，他被法西斯党徒驱逐，来到中国，在上海开设牙科诊所，并积极参加国际进步团体“美国之友社”的活动。该社负责人是美国进步女作家和新闻记者艾格尼丝·史沫特莱。

中央红军到达陕北后，物资供应困难，尤其急需无线电通讯器材和医疗用品。党中央指示驻西安的联络员刘鼎设法在上海等地采购，并在西安建立转运站。刘鼎找史沫特莱磋商，史氏有意请海伯特去西安开个诊所来完成这项任务。

海伯特听史氏介绍情况和设想后，慨然允诺，宁愿舍弃在沪行医的好生意，偕助手携带医疗器材和一条名叫“希特勒”的狗，于1936年4月来到西安，落脚于七贤庄的一号院，在大门口挂上了“德国医师海伯特·温奇牙科所”的方型铜牌。

自此以后，海伯特源源不断地收到从上海寄来的各类急需物品，然后陆续以东北军六十七军军部的汽车转运到陕北苏区。由于海伯特曾为张学良将军治过牙病，深得张之赏识，而且他的诊所还挂有“张学良牙医”的招牌，所以有此方便条件。

诊所的地下室，安装有一部一百瓦的电台，由地下党的两位同志白天收听苏区“红中社”的新闻电稿或党的宣传文件，深夜再转播至西南边陲、东南亚、日本、苏联等地。海伯特每逢报务员上机工作，即将自己的大型收音机打开，以最大音量来掩盖电台的“滴达”发报声。

这个诊所也住过若干出入陕北的我党干部和战士。1936年4月，女作家丁玲经西安去陕北苏区时，即在此住了一个多月。她还在这里会见过埃德加·斯诺和史沫特莱。

1936年12月12日凌晨，西安事变的枪声惊醒了海伯特。他从侧门走出，拟去七贤庄东南方向的西京招待所找史沫特莱探听消息，不料被流弹击伤，经抢救无效逝世，终年才三十多岁。叶剑英同志曾指示有关同志隆重地办理他的安葬事宜。

以魏晋间的“竹林七贤”取名的七贤庄，留下了多少中外“贤人”谱写的壮丽诗篇！

马德涵义救红军战士

李位元

马德涵为西安回族著名爱国人士。1936 年西安事变期间，马任西安回民抗日救国协会会长。周恩来在调解西安事变过程中，曾会见了马德涵，并拜托他与红军代表一起去甘肃武威，设法与马步青通融，以营救数百名被扣押的红四方面军西征官兵。

马德涵先生与马步青父子两世相交，曾以“总教练”身份在马家军中任职。此时，他虽然已是年近七旬的老翁，却毅然接受周恩来之托，不辞风险和劳苦，乘飞机到兰州，又换乘汽车奔赴武威，与马步青作长夜深谈。次日，《凉州日报》即刊出马家优待俘虏的消息。马步青又打电话给青海的马步芳，两人一致承诺将对被俘红军予以优待。马德涵与红军代表又与马步青反复交涉，终于使这批红军战士获得与前不同的处

理：一部分送回延安，一部分自谋生计，一部分编入"童子军"，一部分被派去修路。

周恩来对马德涵游说马步青一事，一直铭记在心，得知马先生年老失听，便专门购买德国制造的助听器一副赠给他。马先生如获至宝，爱不释手。

马德涵先生已于1952年逝世。

宣侠父之死

潘应蓬

宣侠父与胡宗南，都是黄埔军校第一期学生。但胡宗南是国民党的"西北王"，而宣侠父却是中共党员，长期在冯玉祥西北军中任政治部主任。1937年2月，周恩来、叶剑英调宣到西安，让他利用黄埔同学及旧同事诸关系，从事上层统战工作。同年9月，他转至"八办"(八路军驻西安办事处)，以八路军少将参议身份开展活动，成效卓著。

胡宗南深知宣侠父才识过人，存心笼络，多次邀宣交谈。某次，胡宗南听了宣侠父对国内外时局和抗战形势的论述后，大为叹服，竖起大拇指说："侠父，你真是文武全才，了不起！"宣笑答说："你现在是封疆大吏，我是个闲散人员，怎能跟你比？你不要挖苦我。"胡忙说："我是真佩服你,不过我的机运比你好些罢了,惭愧,惭愧!”不久,胡又邀宣叙谈,意欲请宣至军校七分校任教。宣笑问道:“你不怕我在你的学生中宣传共产主义吗?”胡哈哈大笑,只好暂将此事搁起。但胡仍未死心,过了一些时日,又对宣说:“侠父,抗战急需人才,你是黄埔同学中之佼佼者,我想把你介绍给蒋校长。你这样的人才不应该埋没。”宣坦率地回答道:“谢谢你的好意,但请你翻翻过去的反蒋历史,哪一页没有我宣侠父的名字?蒋先生决不会忘记。你打消这个念头吧!”

胡宗南后来果然向蒋介石推荐宣侠父,但蒋只是“嗯”了几声,弄得胡也莫测高深。可是时隔不久,蒋却密令第一战区长官蒋鼎文将宣侠父监视起来。这显然是为了防宣继续在西安从事对国民党高级将领的统战工作,怕他“釜底抽薪”,瓦解军心。

蒋鼎文步胡宗南之后尘,再施“调虎离山”之计,说要送宣去法国留学深造,承担全部费用。宣的回答掷地有声:“我是共产党员,有自己的坚定信仰。在我们党内,只有职务之分,没有贵贱之别。目前国难当头,我岂能离开受难的祖国,抛弃自己的信仰而去追求个人功名?”蒋鼎文碰了一鼻子灰,只好恨恨地作罢。

当时因有军统特务要暗害宣侠父之传闻,一位黄埔同学劝宣离开西安,但宣却认为凭他与胡宗南的交情,一时不会有危险。他怎么知晓,正是由于胡宗南向蒋的推荐,惹下了祸端。

如胡不提起，蒋介石还一时想不起这个死对头的黄埔学生呢。

奉了蒋、胡密令的特务，终于对宣下了毒手。1938年7月31日，宣侠父在“八办”庆祝“八一”建军节观看球赛后，在骑车回家途中被特务绑架，从此杳无音讯，外界只知宣失踪了。

解放后，杀害宣侠父的特务一一落网，宣之蒙难经过始大白于天下。原来是特务绑架了宣侠父后，当晚就秘密用绳将他勒死，将尸体投入下马陵一口枯井内，用土填平。宣遇害时，年仅三十九岁。

赵寿山忍痛除亲信

邓复汉

1938年，赵寿山任三十八军军长，率部驻防于晋南平陆县。那时他名义上是国民党军队的将领，实则接受共产党的领导。

为了严肃军纪，赵寿山把“三大纪律、八项注意”的精神，改头换面为“三大禁令，四大口号”，在部队中广为宣传，告谕部下不得违犯。可偏偏有一位连长对此置若罔闻。

那位连长曾给赵寿山当过九年警卫，在抗日战争中表现甚好，被赵军长培养为排长、连长，已有三年之久。而他自恃是军长的亲信，肆无忌惮地打骂士兵,侮辱妇女,不听别人劝戒。

有一天,赵寿山把部队集合到王沙崄的戏楼前,神色严肃地说:“纪律乃是胜利之保证。凡我抗日军人,均须严格遵守。而×××连长竟敢以身试法,我赵某岂能姑息!”遂下令将该连长拉到戏楼后面枪毙。接着,他又登上戏楼讲话:“死者跟随我长达十一载,有过患难之交,然而军令如山,莫可奈何……”这时,他已声音哽塞,泣不成声,在场官兵无不为之感动。

从此,这支军队作风大变,纪律严明。笔者当时在军部教导队受训,曾亲历此事。

高双成一身正气

范绍武 刘玉苓

抗日战争期间,国民党第二十二军驻防陕北榆林一带。军长高双成出身贫寒,没上过学,可是秉性刚直,处事稳健,带兵有方,硬是由一个大兵熬成了将军。

以前,有的旅团长自视甚高,瞧不起高双成,甚至对他冷嘲热讽。高则毫不自卑,当面反驳说:“不行,你们干不过我!我能几十年同士兵吃一样的饭,我能早起同士兵一起出操跑步,你们不行……”他对部队中的争权夺利和贪污腐化深表不满,对部属中的吃喝嫖赌更是深恶痛绝。曾经有两个团长和两个营长,因欺压百姓和违法乱纪而被他处决。

高双成的部队在陕甘宁边区和八路军常有往来。对八路军的艰苦抗战和优良作风耳濡目染,甚为敬佩。他经常告诫部下说:“八路军用胸膛对着日军。咱们只能帮忙,不能搞摩擦。咱们二十二军的存在,全靠八路军。”

1945 年初高双成军长病故。灵柩由榆林移送老家蒲城时,绕道延安,停留五天。延安各界举行了追悼会。毛泽东主席亲往悼念时,对邓宝珊将军和护灵的家属说:“先生死得太早了!”朱德总司令的挽联写道:“团结素同心, 八载常怀睦谊;反攻今在望,一朝痛失干城。”事后,边区政府提供了强壮驮骡, 协助移送高双成军长的灵柩返乡。

活旗杆整倒工兵连

毋东汉

1941 年秋, 驻扎在长安王曲镇的国民党第七分校工兵连,以修补王曲桥为幌子,东起戎侯乡,西至樊南乡,纵横几十里,见树就砍,运到大峪口开木厂,做不摊本的生意。

工兵连士兵准备砍伐秦岭小学门前的大白杨树,削了树皮,用墨写上“第七分校”字样。秦岭小学校长李志忠和教师刘崇英都是中共地下党员，他俩叫学生把国民党的“青天白日”旗升上大白杨树，连夜写好状子，以全体乡民名义，控告工兵连要砍旗杆修桥，是无视党国之举云云。诉状分送包括第七分校以及国防部等各主管单位，广造舆论。最后，第七分校政治部为息事宁人，责令工兵连连长在大峪木厂设宴赔罪。李志忠等吃了酒肴，受了赔礼，制止了滥伐。

冯玉祥蛰居异国

项宗沛

1947年初秋，我们留美学生数人在旧金山拜访冯玉祥将军。当时冯将军以考察水利名义蛰居美国，寓所在旧金山的一座小山上，环境僻静清幽。

冯将军面容敦厚，衣着朴素，神态谦和，只是眉宇间总有一股英气夺人。冯夫人热情和蔼，温雅大方。他们对来自祖国的游子似乎备感亲切，关心地询问我们的留美计划，勉励我们学成后报效祖国，并拿出一本精美的册子，让我们以毛笔签名留念。

谈及国事时，冯将军感慨系之，蹙着浓眉说：“抗战时期，多少爱国将士遭到掣肘，力不从心，壮志难酬，以致国土沦丧，国人遭难。如今又打起内战,老百姓反对,不知出路何在?只是蒋先生(指蒋介石)坚持己见,不听他人劝告,即使像李济深先生那样的有识之士,他也不肯信任重用,不能与之合作。国民党早就该改组了……"话虽不多,语调亦平和,但其忧国忧民之志,愤懑不平之情,已溢乎言表。

有人请问冯将军目前作些什么,他略一迟疑,接着爽朗一笑说:"不是考察水利吗?……"我们察言观色,心领神会其难言的隐衷。大家沉默了一会儿,再也不便动问他的今后打算了,但我们都深信这样一位戎马一生、饱经风波的爱国将军,是不会久居异国,虚度余生的。

一年后,我在圣路易斯获悉冯将军在回国的轮船上因失火而不幸遇难的噩耗,以后才知道他是响应中国共产党的号召,决心为建设新中国效力而回国的。老骥果然不甘于伏枥啊!他的抉择,令人赞佩;他的不幸,令人痛惜。"戎马鸣兮金鼓震,壮士激兮忘身命。"(崔骃《安封侯诗》)似可为将军临难前之写照!

兰亭帖“长治本”轶事

党晴梵 稿　张鸣铎 整理

兰亭帖，一名褉帖，刻石以定武肥本与瘦本为最佳，然石早湮没，即使墨拓本，亦为稀世之珍。其他宋刻石存世者，一为颍上本，一为长治本，其墨拓亦不可多得。今所行世者，多明清间所刻唐人帖本，殊非右军本来面目。

长治本，即所谓苟氏兰亭，予于10年前，得一拓本于长安肆上，墨色黝黑，锋芒奕奕，诚可珍赏！相传定武瘦本“群”、“带”、“右”、“流”、“天”五字已缺。此本仅“右”字左畔剥落，他四字均无恙，后刻隶书跋文两行：

道光甲申，冬十有二月，此刻得自醴泉，因构宝兰山房以藏之，愿世世永保勿替。咸阳程一敬杏牧谨识。

此寥寥数语，实蕴蓄一段金石佚史，可作为佳话流传，或作金钱罪恶观亦可。

孙退谷《庚子消夏记》载："崇祯初，陕西苟好善(原醴泉县人)令长治(属山西)，掘地得兰亭石及舍利数颗。苟与余(退谷自谓)同官汴梁时，曾以拓本见贻，今石已归苟君家矣。"

此即长治木兰亭或苟氏兰亭得名之所由来。沧桑变迁，苟氏殁后，兰亭石亦沉沦，乃百余年而有宝兰山房。

咸阳人程一敬，号杏牧，清道光间人，以资财雄于关辅，日以鉴赏金石、考订古物为事。"物聚于所好"，其收藏早已汗牛充栋矣。古董商、书画贾、碑帖贾，远道来临，日不知凡几。

有长安客，趋而见，扣程氏曰："先生收藏，诚富矣，然宋刻兰亭石，倘无一方，则未免减色。"程氏问："何处究能得此物?君言岂非有意奚落耶?"客曰："先生不闻苟氏兰亭石出世乎?今归醴泉李令，可坐而致也。倘不惜金钱，何愁不能收诸秘笈，以壮先生之文房?"程氏霍然喜曰："倘能得之，金钱非所敢惜。"于是客与程氏密谈久之，兴辞而去。

醴泉李令，亦有金石癖，偶修葺县署左侧荒园，以为政暇游息之所，不意于断垣残壁畔，发现小石一方，微辨有字，以水濯之，赫然兰亭也，再细认识,即苟好善所藏名重一时之长治本。李令宝而怀之,乐不可支。谁知"匹夫无罪,怀璧其罪",未几而以免职闻。

李令至长安,下榻逆旅,十谒上峰,不得一见颜色。荏苒半载,资斧俱罄。同寓一客,手笔阔绰,气象温文,忽来攀谈,俱道所历。客为古董商,亦精金石赏鉴。李令初无城府,以为嗜有同好,乃详道获苟氏兰亭石颠末。客笑曰:"君既有此宝物,何以受此困穷,不如货之,且通关节,以求复职。"令曰:"吾宁可不得官,此石则愿守而勿失。"客复为之谋曰:"有一无上妙策,为救厄苦计,不妨暂质典肆,复官后,何愁赎之不得?"李令亦以为然,又恐典肆不识宝物,不能质得巨金。客力言愿为代庖,乃以八百金质于某典肆。

石入典肆之后,质库即以不戒于火闻。巨万雄资,千家质物,悉付焚如。李令惟有顿足咳叹,自伤其无福存贮宝物。然而以八百金之关节,居然复任醴泉县令,又度其"琴堂花落"生活矣。

于是程氏大兴土木,建筑宝兰山房,以苟氏兰亭石贮藏之。落成之日,大宴宾朋,客以致石首功,并得程氏厚赏。有知其详者,谓客辇程氏金,至长安,先贿大吏,免李令职,使其穷困不堪;再设典肆,诱石来质,即夜火肆,石遂入于宝兰山房。

今程氏墓木拱,此一片石,流落何所,究不可知。有谓同光间遭兵燹,已真焚于火矣!

(整理者补白:今陕西师范大学藏有"长治

本”一件，原为关中李善楚氏收藏，并有李氏封面题签和眉批多处。李氏者亦为关中金石收藏家。）

赵舒翘平反冤狱

侯　丹　刘茂亭

光绪八年(1882)八月，河南开封刑场上正要开刀处斩一名抢劫案首犯。犯人忽然高喊：“我叫王树汶，不是胡体安，我有冤……”负责监斩的开封知府唐咸仰急令停刑，初步复审后即禀河南巡抚涂定瀛，涂又据此转奏朝廷。后来，当朝廷批准复审时，涂已转调湖北，此案遂交新任河南巡抚李鹤年与河道总督梅启照审理。李、梅两人明知此案有冤，但为袒护僚属，力主此案无错。在上报刑部的呈文中声称：所谓冤案云云，纯系“辗转讹传”。其时，赵舒翘受命查阅案卷，发现疑点甚多，便亲自参与调查，终于查明真相。

原来王树汶是邓州的一个幼童，因为在私塾中偷了钱被父亲责打而逃出南阳，被惯犯头目胡体安、胡广德等诱骗到镇平去抢劫富户张孝堂家。抢劫时，胡等让王在村外守望，王既未入村，也未分得丝毫赃物。捕快头目事后接受胡体安的重贿，私放了胡犯，只将王树汶拿获，并骗他说：“只要你在公堂承认是胡体安，审问后我们就放了你……”知县初审，知府复审时，王树汶被屈打成招，定成死罪，而真正的胡体安却改名换姓逃到了新野县，当上了那里县衙的差役。

案情查清后，李鹤年等四处活动托人说情。内阁某王公亦出面请刑部尚书潘祖荫设法袒护。潘系赵之上司，对赵一贯器重，赵亦视潘为恩师。但当潘劝赵对此案不必认真究办时，赵却声色俱厉地说：“人命至重，可迁就耶？某可去，此案不可移。”说完，拂袖而去。几经波折，此案终于平反。巡抚李鹤年、河督梅启照被革职，前任巡抚涂定瀛及刑部原来承办此案的官员交部议处，按察使麟椿、知府王兆兰、知县马翥等也都受到革职等处分。胡体安等被正法，王树汶从宽释放。当时有人以此案与“杨乃武与小白菜”案等并列为四大奇案，赵舒翘亦因此声闻朝野。

赵舒翘(1848—1901)，字展如，今西安市长安县人，同治十三年(1874)进士。后累官至刑部尚书、军机大臣。义和团举事时，清室派他随刚毅调查。事后，八国联军坚持以“拳匪祸首”的罪名对他惩处，慈禧屈从洋人，遂于光绪二十一年(1901)正月初三，在西安赐赵自尽。

马述融与“帽辫刘”

刘家骥

高陵著名塾师马述融，岁贡生，擅长八股，尤娴朱熹《四书章句集注》。科举时代，《集注》是一部钦定解说儒经的标准教材，考生作题是不能脱离其窠臼的。积多年教学和观察考场的经验，马老夫子揣摩出一手“模拟试题”的绝招，往往巧发奇中，门生们因之得利者不乏其人。清代规定，高陵每年进学的名额是十二人，马老夫子执教期间，每届中式的考生中总有四五人是他的学生。四十多年间，竟有二百多名秀才出自马氏门下。正像后人为他题的一副挽联所说的那样：“手植桃李三千株，面授青衿二百人。”

马述融帐名既著，前来受业的便有不少困于小试的成年人，其中有的年纪和老师差不多。临潼有个六十岁上下的老童生“帽辫刘”也来就学，这年马老夫子才五十多岁。清制，应童子试(考秀才)的学子不论年龄，发辫都要扎上红头绳，还得吊一个制钱，“帽辫刘”就是由此而得名的。这位刘君已经应试四十多回均未中。中、青年时，他就先后和渭南雷延寿翰林的祖父、父亲一起应过童子试，直到已经变成白发皱面的老头儿了，还拖着细红小辫子和十四岁的雷延寿一同步入考场。就在这回,“帽辫刘”握住小雷的手颤抖地说:“娃娃,我们已有三代交往了,这不正是爷爷孙子老弟兄嘛。”这件事,一时被士林传为笑料。

“帽辫刘”在马述融门下受业不到八个月就在第二年中了秀才。捷讯传来,马老夫子兴奋地赋了一首七绝,记得后两句是:“老夫何敢作项橐,绛帐喜逢鲜于通。”鲜于通虽是传说中的一个困顿的念书人,但到晚年总算发了迹。可怜“帽辫刘”只结了一个秕子,竟来不及谢师就与世长辞了。

胡魁双刀救德儿

王鸿绵

胡魁原名胡应魁,临潼县雨金镇人,自幼舞枪弄棒,胆力过人。曾任临潼县衙班头,捕盗办案,名传乡里。又酷爱戏剧,光绪二十三年在县城创办了秦腔“魁盛班”,不惜重金延聘名师,培育出许多优异之材。当时有民谚流传道:“光绪二十三,胡魁办了个娃娃班。德儿的内角,禄儿的丑,木匠红的须生,贵生的走,全德子的大净不用吼……”

这年胡魁领着他的娃娃班来到三原演出。三天过后,名声大噪,尤其是德儿的《走雪山》,

把观众唱得如痴如醉。当地戏班十分眼红，便依仗地方势力乘隙将德儿裹胁藏匿，企图“挖”走。

胡魁得知德儿被抢，表面上若无其事，照旧张罗着演出，暗中却派出江湖朋友四出打探。当他把藏人的处所、地形、看守人力摸得一清二楚以后，便带领儿子胡恒谦，各提两把利刀，出其不意地闯进了对方严密把守的院子。正当十余名看守人员惊得目瞪口呆、不知所措之时，胡魁已经一脚踹开了房门。德儿见是班主，哭着扑了过来。胡魁更不搭话，领人掉头便走。儿子在前边开路，他在后边断后，把德儿护在中间。父子二人圆睁怒目，手中利刃寒光闪闪。对方见这杀气腾腾的架式，谁也不敢上前阻挡。就这样，德儿被利利索索地救了出来。

德儿名叫陈雨农，后来成为陕西戏剧界的第一流演员和教师。

寇遐的辫子

贾玉森

清朝时男子背后都拖着一条长辫子。辛亥革命时期，辫子的去留成了是否忠于帝制的标志。围绕着剪不剪辫子的问题，曾发生过不少悲喜剧。著名革命党人书法家寇遐的辫子却不是用剪子，而是在生命攸关的一刹那被人用杀人的快刀砍下来的。这段惊险故事一向鲜为人知。

1911 年,西安发生革命起义之时,寇遐正和另一个革命党人曹世英一道，利用刀客张秃娃的武装,于农历九月初九日晚在白水组织暴动,杀了白水知县,以曹世英为司令,树起白水复汉军大旗。不料张秃娃手下的一个“龙头大爷”(哥老会的首领)无视革命军纪,恣意掠取官府财物,被曹世英当场喝止。那厮恼羞成怒,煽动张秃娃反戈,扬言要杀死曹世英和寇遐,砍倒复汉军旗帜。曹世英闻讯急忙率部从西门撤出，时值深夜,竟不及通知寇遐。寇遐此际正在东街宝和堂药铺柜台上酣然高卧,见张秃娃破门而入,举刀砍来,慌忙翻身滚下柜台。张一刀不中,利刃竟入木寸许。趁张奋力拔刀的空隙,寇遐才得从后门逃走。

翌日清晨,寇遐脱险逃至城外,到一处小河边梳洗。其时秋风飒飒,项颈生凉,用手一摸,方始发觉原来的辫子已荡然无存。耳边似乎重又响起张秃娃那“卡喳”的一声刀响,他不禁惊悚而又欣慰地笑了出来。

张云山怒笞泰水

樊耀亭

张云山岳家在神禾原上三府衙村，刘姓。岳母眼浅，嫌贫爱富，对云山时常白眼相加，不甚恤顾。

辛亥革命，云山首义，任兵马大都督，驻节南院(清陕西巡抚都院，今为西安市委所在地)，应妻刘氏请，接岳母同住，供奉周至。

刘母住进南院后，难免有一帮属吏仆从要来巴结。她也飘飘然不知所以，颐指气使，俨然一副大帅老太太的威仪。不久她得悉都督府的金库就在南院衙内，于是便向管库人员索要饷银。小小库吏岂敢有忤大帅泰水之意，只好勉强支应。刘母数次得手，愈发贪得无厌，居然愈索愈勤，愈索愈巨，这下子吓坏了管库人。欲不禀明大帅，库银亏空，如何交待；欲待禀明大帅，又怕他恼羞成怒，自己吃罪不起，因此惶恐不安，依违两难。一日，刘母竟将到手银两暗暗装上轿车，亲自送往长安家中。管库人闻知大惊，情急无奈，只得冒死向张云山禀明。张云山知情后怒不可遏，急派人沿路追赶，命其务必追回银两，捉回“盗贼”！差人于半路截住车辆，刘母非但不听劝阻，反而大发雌威：“我是大帅的丈母娘，连他也不敢把我怎么样，你们吃了豹子胆？”带队的差人只得硬下手押返轿车，将刘母捆绑回衙。

刘母被押回衙后，即由云山亲自审问，遂将所索库银悉数追回，又命重责四十大板，刘母才悚然畏惧，跪地求饶。云山竟掉首不顾，转身走开，任差人施刑……

从此，张大帅怒笞泰水的故事流传开来，南院上下，廉政严纪之风一时见好。

“禁烟”奇闻

李宗祥

民国七年(1918)陕西成立“善后清查总局”，查禁鸦片。总局成立后第一张布告即宣称：

> 照得陕西烟苗，上年业报肃清。近因地方不靖，谣言四处流行。愚民乘间补植，春苗闻已发生。督军省长专电报请，实行寓禁于征。声明从重惩办，严饬专委查明。每亩罚银六两，经费加征一成。分作两期缴纳，先将二成收清。如敢隐匿不报，查出治罪非轻。乡保如敢徇隐，一并照章严惩。

根据这个纲领，第一步工作是确定各县种烟亩数，以财政厅所掌握的征粮簿籍为蓝本。凡科则重的田地便认为是良田，良田就是种烟的田，用推算的办法算出各县种烟亩数，每亩按六两六钱银子计征，再折合流通货币；正银而外，层层稽征人员都要附加手续费，及至加到农民头上，每亩实征数有的地区达到数十元乃至成百元之多。县知事和委员如在预定标准内完成征收任务，各提百分之二或百分之三作为奖金；如能超出标准完成任务，其所超出部分各提百分之五作为奖金。

第二步工作是遴派查烟委员。委员到县下乡，层层都要殷勤招待，供吃供喝，陪赌陪玩，送礼送钱。否则，委员有权一查再查，查之不已；也有权捏造数字，扩大亩数，增收税银。周至县有一次和委员闹了别扭，虽经许多士绅暗中斡旋，结果仍落得烟亩报得多，贿赂行得多。委员暗一份(贿赂)，明一份(提奖)，就弄到十余万元之巨。

为了防止农民交款延期或短欠，各县“烟亩罚款”一般都拨充军饷或机关经费，由军队或机关派人到各县直接催收或守提。军队一到乡间更肆无忌惮，不但任意勒索敲诈，有时还奸淫掳掠。乡保告到县里，县里还要责罚乡保招待不周。有位县知事总结了三条做官经验：“第一要有牛马的精神，第二要有土匪的心肠，第三要有妓女的态度。”少了一条，官是做不成的。还有人写了两句打油诗：“禁烟督办今何在，屈死冤魂泪满襟。”送给辛亥时期主张禁烟而当时任教育厅长的郭希仁看，郭大为动容，而终于无言以对。

此外，从鸦片中弄钱的办法还有：控制烟土运销，公开熬膏发售。运销征税，花样繁多；熬膏发售,则交商承包。就拿西安来说,分布在东西南北四条大街上的膏店,最盛时达三百余家之多。

"善后清查总局"的罪恶,罄竹难书。有人为它写了一副对联:"善门闭,'后'门大开,明委暗包两得利;'清'账难,'查'账不易,生土熟膏都弄钱。"

"沙金案"与"中正堂"

赵文杰　张静华

1941年10月27日清晨,两个受雇民夫,从广仁医院(地址在东关长乐巷,即今天的西安三中所在地)太平间抬出一具尸体,到更衣后坊的义地去埋葬。在挖掘墓坑的时候,叮当一声,掘到了一只铁箱子。他们打开箱盖一看,里面装满了颗粒状的东西,大如扁豆,薄如麸皮,沉甸甸、亮闪闪,不知是什么。这时,一个卖豆芽的从旁边经过,瞥见箱盖上隐约有"南洋沙金"的字样,便撂下挑子,上前帮助他们把箱子从坑里抬了出来,顺手抓了几把装进自己的口袋,低声说:"这是金子,你俩快抬走吧!"说完匆匆而去。两个民夫如梦初醒,欣喜若狂,先是商量如何分配,继而又激烈地争吵起来,引得过路人纷纷前来围观。不久,警察闻讯赶来,抓走民夫,拉走箱子。当天《西安晚报》头版头条登出特大新闻,标

题是:“东关义地掘出大批黄金,重一百四十斤,存于八分局。”令人惊讶的是,该报又在第二天头版发了一条新闻,标题是:“八分局朱局长谈掘出黄金经过,黄金净重六百一十七两。”一天之内竟减少了一千六百二十三两!然而,数字的变化并未到此结束,由八分局上缴到市警察局,又上缴到省政府,每上缴一次,数量便减少一次,致使各界群众对此议论纷纷。当局为了堵住众人之口,宣称将用所剩黄金在新城东门外建造一座“中正堂”。

动工不久,忽声言建筑费用缺口很大,于是向工商界劝募资金,醵数多少不得而知。堂成之后,当局给“乐捐”户各奖了一枚银质纪念章;而给各级权要的则是人各一枚金质纪念章。由此可以看出,所谓修建“中正堂”不过是一场吞没沙金,设法分肥的把戏而已!

解放后,人民政府将“中正堂”改为“群众堂”,以后又改建为今天的“人民大厦”。

张小林慷他人之慨

涂耿华

长安刘晖字春谷,是清末民初陕西的著名画家,尤其擅长山水画创作。他兼收范宽、米芾、黄公望、沈周、王翚等数代名家之长,用笔圆润秀丽，法度严谨，古朴苍劲，结体凝重。笔道神机生，染点气韵成，一时有“关辅间画史第一人”之称，登门求画者不绝于户。1906年9月，他应及门弟子王文绶(字葆青，先字美如)的请求，画了一幅山水中堂赐赠。画中远山近岭，层次分明，云霭缥缈，草木华滋，小桥流水，亭台人家，确是情趣盎然。王文绶视为珍宝，精裱之后珍藏二十五年，从不轻易示人。1931年8月，王请著名学者、书画家宋伯鲁为此画题识。宋称赞曰：“吾陕自三原张壶山之后，继之者则有靳先生四宜(通)，笔意沉着，亦三原人。自靳先生殇而斯道无传灯。春谷最后起，出笔苍老，皴擦至深，奄有张、靳二子之长。”

然而，到了1933年春天，不知何故，这幅画却放在西安的一家店铺里出售。画家查少白(陕西省汉阴县人)一见“钟情”，出十五枚银币购得，自己欣赏品味之余，出示亲朋友人共赏。他的同乡张小林见后，硬要借回家去独品，碍于情面，查少白满足了他的要求。不料张小林刘备借荆州，有借无还。1944年清明节过后不几天，民国政府参政张丹屏由汉中到西安，张小林有心巴结，遂以这幅山水中堂慷慨赠送。张丹屏擅书法，且爱画成癖，见此画系刘晖所作，更有先贤宋伯鲁的题识，爱不释手。他立即返回汉中，翌日送请客居汉中的前陕西巡按使、著名学者宋联奎观赏并题识。宋称快不已，题曰：“……此幅独仿大痴，惨淡经营而皴擦渲染尤见功力。昔吾秦范宽作画，论

者以为得山之骨法。春谷可谓能继其美矣。惜中年以后不肯多作,故流传绝少。”宋伯鲁、宋联奎因其政治地位和渊博学识被誉之为“西京二宋”,他们同在此画旁题识实为难得。

1947年,查少白客居汉中。初冬的一天,他登门拜访张丹屏,发现自己十五年前购买的画如今却挂在张的房中。张讲了得画的原委但却不肯割爱,气得查少白大骂张小林慷他人之慨。

樊粹庭羁押钟楼底

云　泽

40年代初期,西安当局想让樊粹庭写戏攻击中共,数次动员都被他婉转拒绝,于是便对樊怀恨在心。后来樊粹庭写的《花媚娘》上演,深得观众赞赏。当局认为有影射嫌疑,1942年2月当局在西安发动大搜捕,其中自然包含不利于樊的意向,事前樊已微有觉察,便深居简出,以避祸锋。某夜,军警便衣突将他的好友赵望云拘捕,其子肖肖即到樊家报警。樊粹庭急于友难,连夜到粮道巷赵宅探视,不料刚进大门,便被潜伏的特务黑布蒙头,强扭双臂绑上汽车,在市区转行多时,送到一个暗室关押。

赵、樊两家各方奔走,均无头绪。数日后忽然一个自称远近的人来到樊家,对樊粹庭的夫人常警惕讲，他和樊先生是同乡，很爱看樊的戏，可以为樊的事奔走出力。此后便不时登门，反复暗示，无非还是要敲一笔款项。常夫人于煎迫之中，焦急万状，便给了远近一些钱，果然未过几天，远近就送来一封樊先生的亲笔信。信中除告知身体尚好，家人无需挂念，且嘱为小孩种痘外，其他全是对剧团团务和有关学生的一些问题的安排，现摘抄如下：

二凤家中到十五号送到十袋面钱，切记。

本月底有几个大学生毕业，要办。以后每人每月先开四袋面钱，到四月八日再任他去留。我在难处，谅他们不至于此时不义气，盼为我转到意思……

孙建章奶娘走，可酌送路费……

九日

后来经过好友陈志敬多方疏通，终以交出一笔巨款赎回了樊先生。陈志敬是中共地下党员，援救正直无辜的社会人士，自是他活动的应有之义。还亏他路面颇广，才得在市政当局中找到关系，使樊粹庭终于脱险。

再后来，又知道了关押樊的暗室，竟在赫然耸立城市中心的钟楼下面，距樊宅所在的南长巷不过里许之遥。

范紫东手稿历劫始末

范文豹 稿　王长安 整理

先父范紫东先生是著名的秦腔剧作家，从1912年易俗社成立起，至1954年病逝，四十余年间共编写大小剧本六十九部，自编为《待雨楼戏曲》。

先父对手稿的保存整理非常重视，长兄范仲伟又从旁精心协助。父亲每一部剧作完稿，仲伟兄总是很细心地将手稿整理装订在一起，同时用工笔小楷另抄一部或数部副本。自己忙不过来时，还命诸弟代抄。每逢有人索取剧本，他只将副本示人，而父亲的手稿则从不外借。

抗日战争中，日寇飞机经常轰炸西安，父亲带着家小和手稿回到故乡乾县暂避凶锋。当时家乡常有土匪出没，父亲为安全计，派人将手稿转到礼泉县大姐处。大姐在院中挖一大坑，将手稿用油纸仔细包裹，置一大缸中，然后将缸口封严，埋入坑内，以防不测。父亲在乾创作的十多部戏的手稿，也一一仿此保存。抗战胜利后，父亲先到礼泉大姐处起出戏稿，然后才带全家返回西安，足见他对手稿是多么珍视。

父亲去世后，手稿一直由仲伟兄保存。但“天有不测风云”，父亲虽已作古，可他的那些专写

“帝王将相、才子佳人”的剧作，突然间统统成了“大毒草”。仲伟兄奉命被迫将父亲的全部手稿、字画连同父亲生前苦心收集的文物和善本书籍悉数上缴。收缴单位给仲伟兄开了一个收条：“收到四旧两架子车半。”几天后，“红卫兵”又抄了我们的家，仲伟兄不堪凌辱，当晚自缢身亡。

手稿后来的命运可想而知。先是集中到土地庙什字的天主教堂存放，在经历半个多月的日晒雨淋后，又拉到西郊收购站，最后送到西安造纸厂，投入池中打成纸浆。呜呼！先父、先兄两代精心保存数十年的手稿，不毁于战火，不毁于匪患，至此却毁亡一空，荡然无存！令人浩叹而已。

可以告慰先父在天之灵的是，党的十一届三中全会以后，1982 年 7 月，西安易俗社七十周年纪念办公室将父亲的八部代表作汇编为《范紫东秦腔剧本选》，由陕西人民出版社出版。父亲的遗作，又能复活在秦腔舞台上了。

“李十三迷”张东白

焦文彬

光绪年间，陕西蒲城县有个举人，名叫张维寅，表字东白。他对渭南李秋岩的“十大本”十分喜爱。他不仅用毛笔小楷恭恭正正地将这十大本戏全部清抄了一遍，还能把剧中的重要唱词，记得滚瓜烂熟。每次外出的路上，他总是唱这些戏，人都称他为“李十三迷”。

有一年的夏天，他徒步去数十里外的一个村庄访友，怀抱月琴，边弹边唱，不知不觉地唱到鸡叫三遍，才到了友人家门口。发现友人家的大门还紧闭着，也不便去打搅人家清梦，就头枕月琴，檐下高卧，而不知东方之既白。友人早起开门，见他枕琴而眠，忙轻声将他唤醒，请进客厅，促膝长谈。饭后，朋友备车送他返回，他谢绝了，说："我是弹唱李秋岩剧本而来的，还是再唱着它而回吧！"还说："日当午时，缓步独行于绿荫之下，有秋岩戏曲作伴，何等畅快！坐在车内，岂不闷煞人也么哥！"当友人问他对李秋岩剧本为什么如此着迷时，他不假思索地说："秋岩先生的剧本，是用刀笔剖解社会、人生，细细玩味，能让人们体会到正心、修身、齐家、平天下的大道理，比之四书、五经，别具一番情趣！"说毕，就又怀抱月琴，一边悠闲地弹奏，一边唱着李十三的"十大本"，上路回家。

李十三者，清乾隆年间剧作家，名秋岩，以行称。有碗碗腔剧本十种传世，并可不朽。俗谓"十大本"，其中《万福莲》即田汉名作、曾与吴晗所编《海瑞罢官》先后引出中国历史上大大一段公案的京剧《谢瑶环》之蓝本。

郭坚的"求援书"

王明德

在辛亥举义与后来陕西的多方战事中，有位独具个性又举足轻重的将领，名叫郭坚。

郭坚虽是秀才出身，却犷放不羁，豪侠自

负，所部多慓悍勇武者流，能人自为战，时称劲旅，然于遵律守法一节，颇非所长。郭亦疏于管束，故常有攫取民众财物、牲畜情事发生。时人愤慨，有直指骂其为“贼”者。郭亦不以为忤，甚至自称“真贼”以解嘲。

1917 年，靖国军兴，于右任为总司令，郭坚任第一路军司令。郭率部与当时依附段祺瑞的陕西督军陈树藩部战于关中西路，不利，被困。靖国军第三路军司令曹世英部仓卒间未及赴援，郭坚情急挥毫疾书一札曰：“陈贼打我，你贼不管。我贼若死，你贼不远！”遣人投曹。曹得书往救。围解。

郭坚的“求援书”，十六字一气呵成，朗朗有声，尤其一句一“贼”，各呈妙趣，寓精警于粗俚，传急切于铿锵，堪称一时奇构。

祭鸭诗

范文豹　范文驹 稿　王长安 整理

父亲范紫东平日总是忙于写戏著书。有时写作疲倦，便踱出书房逗孩子们玩耍。一年夏，父亲买回六只雏鸭，毛绒绒的煞是可爱，小鸭跑起来一摇一摆，在木盆里游水一浮一沉。孩子们个个乐不可支，庭院里充满欢声笑语。谁知好景不长，一天晚上，被可恶的黄鼠狼咬死两只，叼走一只。

第二天傍晚，父亲将剩下的三只扣在竹筐下边，谁知当天晚上又被叼走一只。父亲只好让人将仅余的两只放在竹篮里，吊在屋檐下，不料还是未能幸免，晚上又被黄鼠狼全部叼去，一连三天的“护鸭运动”以失败告终。孩子们一个个哭得泪人似的，饭也不吃，父亲也神色黯然，若有所思地说：“弱肉强食。这世事太不公道了……”看着孩子们伤心的样子，又说：“来，我们作首诗，超度超度它们吧！”于是随口道来：“嘴扁扁，脚片片，走路不能上坎坎，可怜你的命短短，给你洒些泪点点。”词虽俚俗，但却展示了父亲一片悲天悯人、民胞物与的情怀。他的剧作之所以受到观众热爱，其奥秘也许就在于此吧。

高培支代改学生家信

杨小一

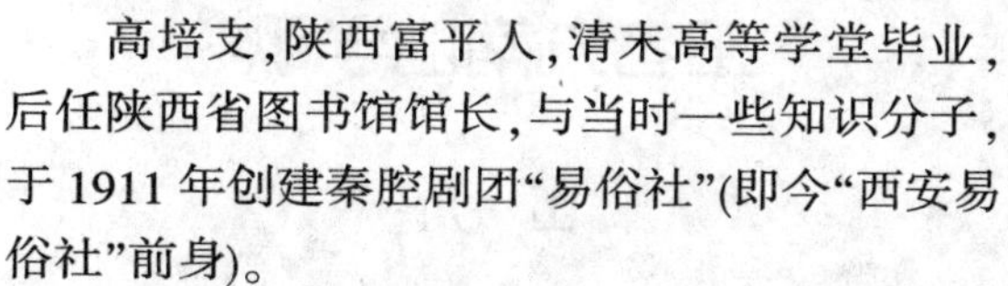

高培支，陕西富平人，清末高等学堂毕业，后任陕西省图书馆馆长，与当时一些知识分子，于 1911 年创建秦腔剧团“易俗社”(即今“西安易俗社”前身)。

在他担任社长期间，改变了旧戏班子许多陈规陋习，并很注重学生的文化教养。在学生中开设各类文化课。他自己亲自讲授国文诗词，对学生的用语、写字、读音都要求特严，一丝不苟，学生不仅在舞台上不能唱白词、念错音，在平时也不能写错字别字。凡学生对外通信，他都要亲自看一遍，认真修改错字病句之后，叫学生工笔誊清，然后才能寄出去，怕的是给社里丢脸。即使是来信，也不厌其烦，用红笔校改之后，才交给学生。有一年夏天，麦将下镰，麦客要价特高。一个学生家里来信催他火速回家割麦。高培支看了这封信，发现错字满篇，话语欠通，就把信从头到尾认真修改了一遍，把信退了回去，叫学生家长认真誊清之后寄来；并附了几句寄语："今后向外寄书，务要文理通晓，用字无误，方能外寄。"这位学生家长寄信之后，一心只盼孩子早日回来割麦，看罢退还的信，又愧又急，哭笑不得，只好亲自来省城为儿子告假。

在今人看来，高先生随便拆看学生家信，实在不好恭维，但当时大家于这个观念却含糊；而他治学谨严，诲人不倦的精神，却又着实感人。难怪那位家长后来逢人便说"易俗社"好、先生好哩。

王老九南山学歌

山　川

1927 年到 1929 年，关中出现特大灾荒。农民诗人王老九背井离乡，往返三次到秦岭山中的镇安、柞水等县，一边打短工糊口，一边用携带的棉絮、破衣服换些玉米,接济留在临潼县北王墕村家中的媳妇娃娃。

南山是个歌窝子,一天三晌歌满坡,这可对上了王老九的脾气和爱好。每到一地,他就拜歌手为师,口传心记,学了不少山歌。有一次,王老九和当地小伙子对唱盘歌,一问一答,一唱一和,歌声随着脚下滚动的云团,飞遍四山八岭。因为他对曲调不太熟悉,走音冒调,结结巴巴,眼看就要败下阵来。王老九急中生智,自我解嘲地编歌唱道:

你莫耻笑我不羞,老九生在山外头。

盘歌唱成四不像,面条下成一锅粥。

这样一唱,惹得众人捧腹大笑,无不称赞这个山外人的急智与才华。

张少帅的爱好
——驾机遨游蓝天

黄月村 口述　纪忠仁 整理

张学良少帅年轻时,英姿勃勃,喜爱骑射,尤其是驾驶飞机,成为他的一大嗜好。他曾说:三天不在天上转一圈,便觉得全身不舒服。因此,西安机场上随时都备有他的专用飞机。

记得 1934 年某月的一天,一大早少帅便从

西安机场驾机起飞，由一位美国驾驶员充当他的助手，飞越秦岭，到汉中与孙蔚如军长共进早餐。然后，再驾机飞往重庆。翌日，他又驾机飞至洛阳，与黄埔分校李校长谈过话后，再起飞返回西安。这次紧张的空中之行后，他非但没有增加劳顿之色，反而显得格外精神。

有一次，我受托准备到绥德去，给驻守在该地的高桂滋八十四师送军饷和其他物品。少帅得知此事对我说："你准备好，过几天我去榆林，顺便送你到绥德。"几天后，少帅通知我起程。我把准备好的一汽车东西拉到了机场，少帅见我带来的东西太多，便说："机舱内已经装了些枪支弹药，是给榆林二十二军的，容纳不了太多的东西。你把不重要的物品留给你的夫人，下次再带吧。"我只好留下了十几个大皮箱。

起飞前，少帅特意到机舱内叮咛我，如果不舒服可在舱内的行军床上躺一会儿，若想呕吐不要惊慌，并指给我呕吐及大小便的地方。说完，他同美国助手进了驾驶室。飞机起飞了，我看到他那沉着的态度和熟练的驾驶技术，心中十分佩服。

飞机到洛川时降落下来。少帅与王一哲军长在机场上谈了一会话，又启程北上。快回到榆林时，少帅回头冲我喊："我忘了在绥德停机，到榆林后我派人送你去绥德。"飞机降落在榆林机场，我走出机舱。少帅在驾驶室探头对我说："请你给杨主任讲，我不进城(指榆林)了。让他在机场将饭准备好，我要到三边上空去转一圈。你的东西等我回来吃饭时再卸。”

不一会，少帅驾机降落了。饭后，他派二十二军一个骑兵连，护送我到绥德去。

现在回想起来，张少帅喜欢驾飞机，这固然是他的一种爱好，而更重要的原因，大概在于他可以利用飞机这一快速交通工具在凌空翱翔之际，及时处理许多军务大事。

赵望云拒为权贵作画

晋震梵

赵望云，现代名画家，长安画派创始人之一。1942年，他偕弟子羊生君赴敦煌临摹壁画，路过张掖。当时，我任教于张掖骑兵学校，在一次京剧清唱会上，与赵先生邂逅相识。赵先生擅唱程派青衣，与梅兰芳、程砚秋交谊颇厚。因我亦爱好京剧，此番得以识荆，颇感欢快，便邀其师徒至我处小住约有旬余。每日茶余饭后，大家清唱几段，兴味无穷。这时，有不少慕名者来向先生求画，先生皆欣然为之，所画大多为哈萨克人及毛驴，形象生动逼真，一时轰动全城。骑兵第十师师长谭某，设宴邀请赵先生前往作画，先生拒之，声言不以绘画事权贵。谭邀请再三，先生始终不允，但恐招惹麻烦，乃匆匆离去。其名士高风，在当地传为美谈。

“玉米宴”记

马　彦

1943年秋，我由北平流亡西安，生活无着，濒临绝境。闻高树勋将军素重乡谊，故往投，果得纳。

某日，将军招“夜宴”。院中月下，设方桌一。上除茶具，别无他物。旁置数椅，就坐五人，人不足席。官场俗例，贵客当晚至。既有贵客，必有盛宴焉。

在座皆乡亲，嬉笑无长幼，举止若家人。然善谈谑者，惟将军也。纵论古今，话天说地，且乡音浓浓，俚语连珠。声动游子，乡愁冰释矣。忽及“蟠桃宴”，将军竟自状为猴。屈肱、勾手、喙唇、眨目，以茶代酒，以杯为桃。时若引颈畅饮，时若啃桃吐核。活灵活现，惟妙惟肖。全座哄然，经久难息。快哉，斯时也！美餐未享，眼福已饱矣。

良久，月转斗移，贵客何不至？一客起，哑语：上指口，下指腹，近指桌，远指厨，吐舌，摊手，摇头。将军顿悟。正色曰：“甭急甭急！君不闻饥而食，食始甘乎？”复拱手曰：“乡珍已备，保君满意咧！”闻之心动，垂涎欲滴矣。

移时，果有厨者，笑容可掬，急步而来。高声吆喝：“开席啦！”手提一篮，热气腾腾，金光灿灿，鲜嫩诱人，土香扑鼻，砰然置桌上。众皆惊，继而喜。何耶？煮玉米也。“将令”未发，竟群起而“攻”，顷刻"全歼"。粒粒入肚，乡情沁腑，回肠九转，扪心长思：人间宴席多矣，一掷千金，岂有此情哉?!

将军出身贫苦农家，身居高位，而纯朴依然，诚可贵也。故记之，以志念。

抗日老兵求绘战史

吴永江

吕汉民，河北献县人。为人憨厚，不善言谈。抗日战争初期，曾在傅作义部队中当兵，后来流落兰州，做货郎生意，旋又在兰州师范学院当炊事员，时已年过四十。40年代的一个夏天，黄河水涨。一天，体育系的学生在食堂里大谈黄河游泳，引起吕汉民兴趣。他说，前年做小生意，有人和他打赌，如果能手托西瓜游过黄河，当以银元(当时通货膨胀，纸币严重贬值，社会上遂以银元代纸币流通)两枚相酬。他即脱衣裹于头顶，手托西瓜，一直游到黄河彼岸。学生很感兴趣，他也谈兴更浓，谓多年以来，一心想找一个画家把自己在绥远(今属内蒙古自治区)黄河一带与日寇斗争的经历画出来留作纪念。他又回忆说，一次他单人出外巡逻，竟与日兵遭遇，便抢先开枪，连毙二敌。这一下惹怒了敌人，马上数骑追来，把他逼到黄河岸边。他走投无路，跳进黄河，泅水而下，敌骑在岸上追赶不舍，不时开枪射击。

他在河里“扎蒙子”(潜水),忽左忽右,时沉时浮,使敌人莫测所在。到天暮时分，敌人才怅然收兵。吕上岸问当地百姓，始知已顺流游出八十里,后遂辗转返回驻地。

据传吕已殁于兰州，不知其求画战史之事是否实现。

名儒蒋径先生遭际

孙龙光

蒋径，小名事合，1822年出生于咸宁县狄寨街(今西安市灞桥区狄寨乡)。幼年家贫，七岁时逢年馑，随父外出逃荒，靠打短工、割草放牛糊口。一天事合在南五台山下割草，山上下来一位老僧，见事合乖巧伶俐，遂征得蒋父同意，收为徒弟。原来这位大师是一位博学的隐者，曾做过知府。他给事合取名法静，二人同炊同宿，亲如父子。大师只让他做些洒扫等零活，其余时间，教他读书习字。事合天资聪颖，又勤苦好学，七八年后，遍读经史诗文，尤擅书画。大师非常高兴，对事合说："你应是功名中人，现已学有成就，急宜考取功名。"遂改名为蒋径，取字益亭，恢复俗姓蒋。蒋径依依不舍，挥泪拜别师父，下山回家。

蒋径十六岁那年，考中县试第一名秀才。两年后，参加乡试，又中第一名举人。不料，一些落榜的纨袴子弟，出于嫉恨，具名控告蒋径当过和尚。京里派员查处，竟将蒋径除名，并不许再考。蒋径愤然回家，从此弃绝仕途，在狄寨街村南寺庙设馆教书，终生从事地方教育。

由于蒋径勤恳认真，教诲有方，狄寨乡亲争相送子到蒋径门下求学，数年间即桃李满鹿原了。闻名遐迩的教师蒋甘泉、蒋兆育、赵学举、屈伸，著名中医王宝如、白星午、刘锡、薛子才，以及原下的秀才与学业优异者，大多出自蒋径门下，从而为原上文化教育事业的普及与提高，起了继往开来的奠基作用。

蒋径生活俭朴，素无积蓄，终生未娶。1915年以九十三岁高龄辞世。身后留有不少书画作品，惜大都散失，仅狄寨村村民魏杰家中尚存数幅。

“戏子”祭孔

王鸿绵

在过去很长的历史时期内，从事戏曲行业的艺人社会地位低下，一直遭受世俗的歧视，他们被呼为“戏子”，列为“贱民”，生前不能进入宗祠祭祖，死后也不得在祖茔内安葬。至于进入文庙，参加祭礼活动，更被视为亵渎圣贤，大逆不道。但是，“戏子”终于冲破世俗偏见，和其他学校的学生一起，以平等的身份参加了每年例行的祭孔典礼，领导这一行动的是陕西教育家、易俗社社长高培支。

易俗社初名“易俗伶学社”，是辛亥革命后李桐轩、孙玉仁等人在西安创办的。易俗社一开始就摒弃了旧日江湖班社的陋规和班主制，是陕西第一所具有民主主义性质的戏曲班社。这里招收来的学生，既要学习戏曲技艺，又要学习修身、国文、习字、算术、史地等文化课程，因此，又是一所戏曲学校。

易俗社社长高培支还给学生们定制了与当时西安各校一样的学生服，并缀上镌有“易俗”两个篆文的帽徽。可是，学生们一上街，就招来了某些学界人士的抗议：“你们是戏子，为什么穿学生服?”学生理直气壮地回答：“我们也是学生，为什么不能穿学生服？”双方争持不下，官司打到省教育厅。为了压服易俗社，有人提出用会考的办法评判是非。高社长心中有底，一口答应对方的挑战。于是双方各抽选五名学生在省二中会考，内容是国文、算术、史地等课程，由省教育厅命题并派员监考。对方五名参赛者是省二中优秀生，易俗社则派出张秀民等五人应试。评卷揭晓，二中学生的成绩当然不错，而易俗社学生不仅答卷完满，且写得一笔蝇头小楷，秀丽工整，令人赞不绝口，一时传为佳话。“易俗社的学生也是学生”，他们为梨园弟子争得了平等的社会地位，令社会人士刮目相看。由此，参加一年一度的祭孔典礼也便是理所当然的了。

这天，易俗师生起了个绝早。祭孔队伍以军乐队为前导，抬上三牲祭品，向孔庙进发，一路军乐悠扬，队列整齐，庄严肃穆，蔚为壮观。祭典开始，一般文人和各校师生都是大礼跪拜，惟独易俗社的师生在军乐伴奏下行了三鞠躬礼，显得又文明，又进步，别开生面，脱略旧俗，令人顿兴耳目一新之叹。

张子宜兴办西安孤儿教养院

李文斌

张子宜先生是陕西兴平县人，同盟会员，辛亥举义后任陕西省官钱局局长。

1915年，袁世凯改元称帝。张子宜等在陕西发起倒袁运动。由于泄密，被袁在陕西的爪牙陆建章逮捕入狱，十七人以身殉国，独张子宜因系基督教徒而获释。

1929年，陕西大旱，兴平县灾情严重，张子宜不忍目睹幼儿饿死街头，就用他在官钱局任职的全部工资八百元兴办西安孤儿院。院址在今西安东二路与东四路之间。由一处破庙改造而成。起始盖房六间，材料全用旧城砖等废旧物资。第一批孤儿十八名，由兴平县收来。这些人成了后来扩建孤儿院和办公的基本力量。

孤儿院的经费，除张子宜的八百元外，其余也靠张四处奔走募捐，因之他得了一个“官要饭的”的绰号。

张子宜凭藉他一心一意为孤儿的心愿和百折不回的事业心，使孤儿院不断扩大，相继又盖房十八间，孤儿也在继续增多。抗战期间，孤儿已增加到一百多人，并在太乙宫扩建了新址。男女孤儿学有一技之长后，便出院就业或婚配。

张的行为影响极大,大约是1931年或1932年之间,有户县一位老者送给张子宜一张一万元的汇票,并说:“我早想办一个孤儿院,可我老了,力不从心,这些钱交给你,就委托你给我代办吧。”说完,转身要走,张子宜急忙拦住说:“既然这样,就请你在本子上留个名。”该老者回头笑着说:“要留名我就自己办了。”并接着说:“为这个事,我已调查好久了,知道你是全心为孤儿,钱交给你我放心。”说完转身就走,张子宜无奈,就在布施本上写户县无名氏捐款一万元,并在原北平旅社临街的墙壁上刻石立碑:“户县无名氏捐款一万元”。

孤儿院得到这笔巨额捐款后,在原孤儿院盖房二百多间,在今东二路到四路之间盖二层楼门面房,约一百多间,其中包括三个旅馆即东方旅社、北平旅社、中州旅社,还有中药店和服装店、西药店、镶牙馆等。又在太乙宫买地70亩,盖房40多间,为培养孤儿,设有裁缝厂、制鞋厂、印刷厂、豆腐房、菜地等。在原孤儿院内还有宋美龄捐款盖的10间2层楼,和张学良捐款盖的6间2层楼房。

在1954年孤儿院成立25周年纪念会上,由学生代表宋子刚宣读的统计数字说,孤儿院开办25年,共收男女孤儿4334人,培养大学生四人,高中生40多人,初中生100多人。有当军官的、有教学的、有医生、有银行职员、有行政干部、有技术工人、有种地的、卖小吃的等,总之为社会培养了不少人才。张子宜办孤儿院30多年,呕心沥血,全心全意为孤儿,为社会公益事业作出了很有价值的贡献。

邵力子关心陕西教育

郭亚雄

1933年邵力子先生主持陕政时，深感陕西教育落后,师资缺乏,特别是高中毕业生,或因家庭经济困难,或因学习成绩稍差,难以考取国内著名大学,遂决定在省教育经费内拨出专款,以设立助学金的办法,鼓励学习成绩好,家境清寒，愿为家乡教育事业服务终身的高中毕业生报考国内著名大学。每生每年助学金200元。

第二年开始在西安高中试行。这年“西高”毕业生牛子苓即考取了北平燕京大学,立即得到助学金的奖励。我也是西安高中的学生。1935年暑期毕业,正遇到国立北平师范大学奉教育部令为各省培养师资,每省保送3人。消息传来,大家都很高兴,即与同班同学蒋得、高景华3人一起报名应试。按保送规定,先在西安初试,结果3人都榜上有名。再去北平师范大学复试,也被录取。从此,我们三人也得到了助学金的奖励。

邵力子先生对我们在北平师范大学的学习非常关心,第2年我们暑假回省时,亲自会见,

询问学习情况及所学科系，并一再叮嘱我们说："你们的学费不是我个人的，那是陕西省老百姓的。要好好学习，毕业回来为乡梓教育服务。"

抗战军兴，平津沦陷，大学南迁，我们的助学金因地方财政困难，改为每年100元，一直到1939年大学毕业。

1944年，我回乡担任铜川县立中学校长时，得悉邵力子先生出任国民参政会秘书长，立即修书问候。不久接他来信，信封是用旧信皮翻转过来糊好再用的。他对我们回乡后都从事教学工作非常高兴，最后还是语重心长的那句话："当年大家拿的奖学金是陕西老百姓的，希望大家把家乡的教育办好。"

片瓦不修与高楼耸立

李荫良　刘　珂

1940年，于右任先生在三原创立的民治学校增设了中学部。开学之初，部分学生还没有宿舍。王时曾校长和李荫良等几位教师相约，来到西渠岸于先生的家中察看，想让学生暂住几天。然而，他们吃惊地发现：于家不仅地方窄小，而且潮湿不堪，学生根本不能住。

民治学校与于先生家只有一巷之隔，土路仅宽2米。巷子东边的民治学校里耸立着两座西式楼房，连当时的西安也极罕见的钢窗钢门上，闪耀着玻璃的反光；巷子西边的于宅却是一院低矮的土木结构的平屋，木格方窗上糊着粗白麻纸。学校的园中布满各式花坛，有南方引来的奇花异卉，有当时少见的雪松，棕榈；于家土墙内只有一棵风雨经年的老槐，两根枯枝指向苍空。翘首街东，碉堡形的四层图书仪器楼雄踞于绿树之巅；俯视巷西，但见残缺不全的砖砌台阶，墙根的硝土泛着片片灰白……

于右任先生对自己的家宅片瓦不修，而民治学校的高大建筑却在三原县城独一无二。

诗人徐迟长安访古

陈小波

抗日战争胜利后，诗人徐迟滞留重庆。他把杜甫的诗句“回首可怜歌舞地，秦中自古帝王州”试译为英文。当时的墨西哥驻华大使易斯克兰特看到大感兴趣，急不可待地要徐迟陪他访问古都长安。这时徐迟正为复员上海弄不到船票、汽车票着急，便灵机一动，向大使提出：“只要能为我搞到一张去上海的飞机票，愿奉陪前往。”大使满口答应。徐迟自称这是他与大使的一笔交易。

1946年3月底的一天，徐迟与大使飞抵西

安。在临潼参观华清宫，沐浴贵妃池，所到之处，满目荒凉，徐迟说："一切使我黯然。"第二天驰车古城南郊，访问了兴教寺等处古刹名寺，又专访了杜公祠。诗人想起了杜甫"韦曲花无赖，家家恼杀人"的诗句，面对眼前这荒草蔓蔓、不见人烟的景象，不禁感慨地说：这里已成为"翠华想像空山外，玉殿虚无古寺中"了。

这次诗人与大使访古，西安文化通讯社记者曾陪同参观。徐迟书写一小条幅赠文化通讯社留念，文曰："回首可怜歌舞地，秦中自古帝王州。"落款又补写道："请相信，我们还会在灼热的民主斗争中相见的。"

他回到重庆，见了朋友就说："我做了一个古代的梦。"大使未食诺言，诗人很快便拿到了飞机票，飞抵上海，与老作家们会师了。

指端书画妙绝伦

贾麦明

阎甘园(1866—1942)，蓝田人，名培棠，字甘园，号辋口樵者，以字行。1889 年中秀才，1903 年中举人，曾偕同英人敦崇礼赴日考察政教，主张革新。阎氏喜收藏文物，擅金石鉴赏，尤精于书画，为清末民初驰名陕西的书画家。

阎氏的书法，古朴苍劲，曾在上海举办书法

篆刻讲习所，从学者甚多。在绘画方面，工山水花鸟，继承传统而刻意求新。在当时的艺坛上，他以“指书”和“指画”独享盛名。黄宾虹曾评价道：“关中阎甘园书法博及百家，造诣特深。画则山水、人物、花卉、鸟兽无一不能。而指书指画尤为特长，于各家各体，凡笔所能者，指无不能之，且更见精妙。”

阎甘园曾应冯玉祥将军之请，在南京和上海教他书画，与张大千、王一亭、黄宾虹、刘海粟时常切磋艺术，结为莫逆。在上海办过两次个人书画展览，还应刘海粟之邀，在上海美术专科学校作过关于中国绘画的学术报告。参加“中国画会”，并为该会领导人之一。1924年鲁迅在西安讲学时，曾到南院门阎甘园家中，观赏他的书画及所藏文物。

1931年，东京召开日中书画联合会，阎甘园与张大千、王一亭、张善孖等前往参加。他应日人之请即席作书画表演，以指代笔，挥写真草隶篆诸体，书风洒落，气势充沛；以指头、指甲、手掌作画，时而蘸墨、时而蘸色，所画山水花鸟，层次丰富，浓淡有致。其时观者如堵，喝彩之声此落彼起。

冯友石送画示警

冯 立

教育家冯友石与革命家李敷仁，既是师生，又为同事，二人情谊至深。

解放前，教育界内进步势力与反动势力斗争激烈。激进的教师经常议论时政，抨击社会黑暗；国民党则秘密逮捕进步知识分子。在一次大逮捕中，冯友石非常担心李敷仁的安全，便画了一张山水画，题曰“山雨欲来”，满纸风雨迷茫之景。他当时在兴国中学，派人送到西安民众教育馆，交给李敷仁，暗示他要提高警惕。时隔不久，传来消息说李敷仁被特务逮捕杀害，冯友石十分悲伤，多日无语。过了一段时间，又闻李敷仁遇难未死，被救往延安，他才松了一口气。

解放后，李敷仁回西安任西北人民革命大学校长，即请他的老师冯友石到人大任教。

“愿献南山水一瓢”

冯　立

陕人冯友石，年甫弱冠，即参加1919年之辛亥革命，从事反清活动。辛亥革命后，以启迪后学、培养人材为志，投身教育事业。曾在西北大学、西安师范、西安女师、西安三中、西安一中、民立中学、中山中学等校任教，名满陕西学界。

抗战时期，冯友石执教于陕西省兴国中学，居于西杨万坡，目睹国事日非，世风日下，故题画时辄书“写于西阳晚坡”，以刺当时社会黑暗。1947年，蒋介石六十寿辰时，学校举办书画展览，他画灵芝一本，清水一瓢，题曰：“愧无旨酒为君寿，愿献南山水一瓢。”寓民不聊生之意。又私为友人翁维谦先生曰：“六甲寿辰”四字，打四书一句，请猜。翁谢不能，他说：“鼋鼍蛟龙，鱼鳖生焉。”可谓谑而虐，虐之甚者也。

陕西仅有的一部铜活字版《古今图书集成》

尚者炎

《古今图书集成》是清代最大的官修类书，原名《古今图书集成汇编》，康熙时陈梦雷辑，未刊行。至雍正时，命蒋廷锡等重为编校，改名《古今图书集成》。全书一万卷，分六编，三十二典，一千六百零九部，每部又分若干类，较之宋代《太平御览》、《册府元龟》等类书，其精详何止倍蓰。原书以铜活字版刊印，仅印六十四部，每部五千零二十册，每十册为一函，以黄绫作套，洵为有清一代刊行之第一大书。此善本类书吾陕仅有一部，系清乾隆帝赐于军机大臣韩城王杰者。其保存收藏，数百年来历经沧桑。

起初，王杰因此书系皇帝所赐，家藏恐贻不敬，遂恭奉于同州府(今大荔县)丰登书院庋藏，以嘉惠府属十县士子，共沾恩泽。1905年，家伯父尚天德先生在日本国留学时参加中国同盟会，嗣奉孙中山之命回国策动西北革命，为建立据点，乃于故乡同州创办府中学堂，并以丰登书院并入。善本《古今图书集成》即由府中学堂保存。1910年，陕西巡抚恩寿在西安府枣茨巷(今早慈巷)设立存古学堂。为充实该学堂图书，陕西提学使余堃于次年札饬同州知府孔某，调取此善本《古今图书集成》备用。家伯父先后面见孔知府与余提学使，据理力争，并以府中学堂缺乏图书为辞。及至余堃承诺拨银三千两为府中学堂购置新书，始允调取。然时仅数日，武昌起义爆发，未及半月，西安响应，调书之议遂不了了之。

辛亥革命，陕西独立，秦陇复汉军协统陈树藩军次同州，以府中学堂为兵营。士兵无知，辄取此善本图书为枕，因之散失不少。其后大荔县知事朱霞轩与绅士田命初等出资向民间收购，终因方法欠妥，以致未能全部收回。1931年，陕西省政府在同州府中学堂旧址设立第二师范学校，此书又归第二师范学校保管。

1928年，宋哲元任陕西省主席时，曾嘱教育厅将铜活字版本《古今图书集成》运来西安，由省政府保存。盖醉翁之意，居心叵测。教育厅厅长黄统以其事商诸督学刘安国。刘以为不妥，且谓如宋哲元对此书势在必得，可以石印本与之。事遂搁置。

迨至抗战军兴，为保护此珍贵文物免遭散佚，刘督学又与第一科科长梁午峰计议，建议同州师范(1934年第二师范改名)马凤岗，将该校所藏善本《古今图书集成》运来西安。马校长欣然同意，乃于1937年5月将原书运送西安，移交省立西京图书馆(即今省图书馆)珍藏至今。

《万有文库》运延安

宁一民　宁省民

我父亲名叫宁毅侯(字建邦),长期受孙中山民主思想的影响,向往革命。他一生所嗜惟在读书,故藏书极丰。1936年,我家住西安北四府街面巷十四号时,父亲不惜重金从商务印书馆购得一部《万有文库》运回家中。这部书包括政治、经济、军事、天文、地理……内容十分丰富。父亲还特意为这部丛书做了一套书橱,摆满了一间房子,命名为"建邦书屋"。除自己终日阅读外,还时常择出一些文章讲给我们兄弟姊妹们听。

1941年抗日战争进入最困难的时期,中共中央为解决驻地干部及学生的读书问题,派谈国藩(关中军分区第二支队司令员)、尹省三(临潼地下党县委书记)等同志前来阎良,与我父亲商议为党中央筹集一部分书籍。于是父亲毅然把他珍藏多年的《万有文库》,连同《少年百科全书》、《大辞源》以及其他书籍,共计四千余册捐献出来。谈、尹等人对父亲的慷慨之举深表感佩。

事情谈妥后,由本村张振川派人到阎良街张明轩的"德发祥"商号以经商为名购回四十个木箱,于1941年除夕由梁信子等人装箱打点停当。接着又雇佣二十四驮骡,在一个大雪纷飞的夜晚，由尹省三、王青兰、梁信子等人扮成商人模样护送，冲破层层封锁，运抵延安。此事曾为毛泽东、周恩来等中共中央领导人所赞许。

黄竹斋与《伤寒杂病论》

王明德

黄竹斋(1886—1960)，西安市人，名谦，又名维翰，以字行。少时随父打铁，十八岁起始读书，后专攻医学，遂成名医。他尝对人说："昔人言，不为良相，当为良医。良相济世，良医救死，同一仁也。吾其为良医乎?"黄氏行医，往往妙手回春，不收分文，反常以药物相赠与贫穷患者。邵力子任陕西省主席时，突患右臂不举之症，经中、西名医久治不愈，后请竹斋针灸，不过旬日，即康复如初。邵故特制一匾鸣谢，但竹斋从未悬挂。

竹斋精研医学，著作等身，对挖掘祖国医学贡献甚大。1940年，他在长安县黄竹村购得坡地一处，劈崖挖窑三孔，亲撰一联曰："广开户牖，放山川入吾眼界；博览群书，问医林有谁拾遗?"横额为"且乐吾素"。他对张仲景的《伤寒杂病论》一书的抢救、刊印、注释，倾注了近三十年的心血。1934年，竹斋赴各地搜集医学书籍时，在南京某刊物上看到张仲景有些遗著藏在宁波的"天一阁"，即奔赴宁波查访，适逢天一阁正在修

葺,未得如愿。但他从宁波名医周岐隐口中得知桂林罗哲初藏有张仲景《伤寒杂病论》手抄本。次年,竹斋任国医馆编审委员时,适与罗哲初共事,果然从罗手中得见此抄本。据考,此书原系张仲景家传,至四十六代孙张绍祖时,由其徒左盛德重抄,又珍藏四十余年至 1888 年,始传到左盛德学生罗哲初手中。竹斋见到此书,如获至宝,遂精心抄写一遍。至此,张仲景《伤寒杂病论》一书在国内能知下落者仅有罗、黄两个抄本,而罗氏抄本在卢沟桥事变后遭匪劫遗失,黄氏抄本顿成稀世珍本。竹斋遂请张伯英将军资助,以抄本刻木版印二百五十份,分赠医林及亲友,使此书得以流传。以后,又对此书作了注释,出版了《〈伤寒杂病论〉集论》十八卷,受到中医界很高的评价。《中国医学大辞典》主编谢利恒先生赞扬说:“长安黄竹斋先生重订之《伤寒杂病论集论》十八卷,都七十余万言,据生理之新说,释六经的大成,诚医林之鸿宝也。”此外,竹斋还整理了《伤寒杂病论读本》十六卷,又将该书分类编撰为《伤寒杂病论类编》八卷。解放后,竹斋上万言书给毛主席,建议提倡中医。1958 年他又将《伤寒杂病论》献出。1980 年 12 月,竹斋学生米伯让将此书刻板,亲自护送至南阳医圣祠医史文献馆保存,在南阳张仲景研究会成立大会上举行了隆重的迎送板仪式。竹斋为此书献出毕生心血,至此功德圆满。

止血石

冯增烈

已故全国人大代表马平甫先生,西安回族知名人士,性随和,广交游。其祖上历代为官。家中藏有一物,名“止血石”。该石长二寸许,宽寸余,厚约四分,色灰黑,莹洁如玉。如有衄血者,注清水于碗碟中,研之千周饮下,即可疗其疾。笔者长兄增亮素患鼻衄血,一日疾发流血不止,遂以通家之好借来如法研磨,饮其水,立见神效。旋数饮,其疾竟愈,未再复发。此笔者所亲历者,然不知其奥妙何在,故记之以供药物学家参考。

蛇蚤红与《青梅传》

杨克恒

旧时戏剧界曾有“北梅南欧西刘”之说。梅指梅兰芳，欧指欧阳予倩，刘指人称为“蛇蚤红”的秦腔第一花旦刘箴俗。蛇蚤即跳蚤，用来比喻他身材娇小，充满活力。

刘箴俗生于1903年，原籍陕西户县，十岁进易俗社学戏，经名教练陈雨农、党甘亭的悉心教导，两三年后就崭露头角，蜚声三秦。他饰演丫环侍女、小家碧玉以至显贵夫人，无不表情细腻、唱做逼真，深得剧作家孙仁玉先生的激赏。孙先生依据刘箴俗的才具，量体裁衣，取《聊斋·

青梅》故事，编写了剧本《青梅传》给他主演。刘箴俗的表演，风姿绰约，委婉动人，活脱脱地塑造了一个敢于冲破封建枷锁、谋求自身解放的少女形象，脍炙人口。论其年龄，才是个十三岁的孩子。

1921年，易俗社赴汉口演出。武汉三镇为刘箴俗的演技所轰动。适逢戏剧名家欧阳予倩先生亦领班在该地演出，对小箴俗的艺术才华刮目相看，并在演技、服装、化妆等方面亲予指点，夸奖他"实在有演戏的天才"。从汉口归来后，刘箴俗的演技更臻成熟，每逢登台，场场爆满，座无虚席。

辛亥革命元老景梅九先生观赏《青梅传》后，击节赞叹，并赠诗一首云：

生小十三上舞楼，
窈窕身似女儿柔；
只因一曲《青梅传》，
到处逢人说嗤刘。

"嗤刘"，关中方言，读为"碎刘"，即小刘也。

无奈昙花一现，名伶早夭。1924年夏刘箴俗抱病演出《美人换马》时，骤然晕倒台上，未及半载而逝，年仅二十二岁。"青梅"凋萎，人皆痛惜，公葬之日，送灵行列长达二里有余。

赛金花看“赛金花”

张广效　杨天易

民国二十一年(1932)12月,西安易俗社赴北平演出,名旦王天民主演《颐和园》(又名《赛金花》),轰动京华。当时的《全民报》撰文赞扬王天民“扮相英俊、唱工缠绵、善颦善笑,入木三分地演活了赛金花”。天津《大公报》专发《北平特讯》写道:“王天民的细腻表演,不独拉住众多戏迷,而且把许多与戏剧素无缘分的人也都吸引住了。北平观众赠他一个‘陕西梅兰芳’的美号。”

王天民演红赛金花的消息很快传到天津。居住天津的真赛金花感到惊奇,直奔北平看戏。演出结束后,真假赛金花相会,赛金花对易俗社演出其生平,从而使她晚年潦倒的境遇获得改善,深致谢意。天津《大公报》翌日刊登《不堪回首话当年》的长篇通讯,详细介绍了赛金花看戏的经过和她的感慨,并配发真假赛金花的合影。报纸刚一发出,即被读者抢购一空。

龙阳才子赞秦腔

晋震梵

1935年5月间，名噪一时的龙阳才子易君左，偕友数人，横穿中原，游至西安。陕西省政府主席邵力子、西安绥靖公署主任杨虎城均待之以上宾之礼。5月16日晚，邵、杨假西安易俗社堂会，特邀易君左等观赏秦腔传统剧《杨氏婢》。女主角王月华引吭高歌，声若裂帛，如怨如诉，悲凉凄绝。观者无不动容，抚掌叹息。

易君左说："我总以为昆曲柔腻，秦腔则刚柔相济，但今夕所演，皆慷慨悲歌之曲……"并赋诗二首赞之：

堕泪闻歌第几场，西安又遇殷桃娘。
万千粉黛无颜色，化作迷离扑朔装。

连宵相约看桃娘，顾曲周郎枉断肠。
最是月明如水夜，长安市上听秦腔。

易君左是夜观赏《杨氏婢》，而诗中却两次提及"殷桃娘"，何也？盖《杨》剧之女主角王月华，素以饰演《殷桃娘》一剧中之殷桃娘而闻名，予人以最深刻之印象也。

喜剧演员的悲剧

雷震中

秦腔名丑马平民,一生贫苦,生活坎坷,妻病子夭,悲伤而亡。他给观众带来了无数欢笑,自己却处处不幸。

他原名马富民,学戏后改名马平民,后来,一直生活穷困,就抱怨是这个名字误了他的终生。他曾苦笑地对人说:“我就是招了这个‘平’(贫)字的祸了!平(贫)民,平(贫)民,什么时候才能富起来啊!”

他擅长演喜剧《王小过年》,这个王小在年节前卖掉四两棉絮和两个鸡蛋才勉强过了一个穷年。他非常忌讳在吉祥的日子演出这个剧目,偏偏剧社每逢元旦的午场,都要派他演出此剧。他虽屡屡抗议但都毫无效果,只得强颜欢笑,登台演出。

为了改变他的厄运,他把女儿马永安改名为马富华。当马富华首次登台演出《走雪山》时,他亲自串行扮演剧中须生曹福。演出结束后,他满头大汗乐滋滋地到处征求意见:“看咱娃演得咋像(如何)?”

后来老婆给他生了一个儿子,这使他喜出望外。不料儿子过了满月不久,就一病夭折,他从此彻底绝望，终日蒙头吸大烟。1946年病死于西安戒烟所中。

剃头匠成了名演员

马耀先

秦腔名艺人马振华，西安市绛子巷人，居家与“正俗社”毗邻。振华自儿时起便经常溜进剧场，边看边学秦腔前辈名流李正敏先生做戏。浸淫日久，心领神会，以至声调学得与李正敏维妙维肖。其父厌恶艺门，惧子成伶，然屡禁不止，遂托亲友送他到宝鸡武三澡塘兼理发馆去当学徒。

抗日战争初期某日，新任陕南佛坪县保安队副的曹蕴如途经宝鸡，投宿武三澡塘客店。傍晚时分，听见邻近有唱戏之声，酷似李正敏之腔调，便循声寻觅，终于在理发馆发现一个边扫地边唱做的年轻后生。其声婉转柔润，其容端正潇洒。曹蕴如于秦腔素称当行，望之如见浑金璞玉。当他得知马有志学艺却格于家禁后，遂与振华商妥脱身之计，并于翌日悄悄领马赴汉中，亲自送到当时正在汉中演出的高陵“化民社”戏班学戏，然后自己改道再赴佛坪。振华到“化民社”后，因资质极佳，且素有根底，一经短期培训，即能登台献艺。一出《拾玉镯》(马振华饰孙玉姣)，名噪秦川。之后所演其他角色，皆唱做俱佳，尤

以唱腔优美甜润倾倒观众，直被呼为“万人迷”，虽妇孺皆然。

解放后，马振华随团赴藏，支援边疆，曾多次参加国家、省区会演，屡获嘉奖。不幸于“文革”期间，遭迫害致死。出身自剃头匠之一代名伶，至此而终，惜哉！

阎更平借机抒不平

黄　河

著名秦腔须生演员阎更平，原是甘肃“平乐社”台柱。抗日战争爆发后，该社解散，阎更平被泾川县“易风社”聘用。不久，该县县长拟将“易风社”改为由县政府控制的“泾川剧社”，并聘阎更平为社长。阎不愿受其控制，带领一帮弟兄到了平凉，又恢复了“平乐社”。

哪料，天下乌鸦一般黑，国民党平凉县党部见剧社有利可图，欲将剧社收归他们管辖，但遭到阎更平的坚决拒绝。县党部恼羞成怒，将企图带领剧社投奔八路军的罪名强加给阎更平，把阎拘押入狱，并威吓他：“若不答应条件，决难释放！”可是阎更平宁愿坐牢，不肯屈服。

不久，西安秦腔名旦毛玉利到了平凉。县党部邀请毛演出《家庭痛史》。戏牌挂出后，毛却提出非阎更平配戏不演。县党部无奈，只得将阎更平放出。当晚演出时,阎更平借剧中人物陈继通之口，通过陈痛斥后妻为了争夺当家的一把钥匙而陷害儿媳的大板唱腔，声情激越，热泪纵横,指鸡骂狗,淋漓痛快地抒发了对县党部的满腔愤恨,倾诉了心中不平。戏演完后,阎更平知道事难了结,便身藏一把短刀,偕武生演员薛守民连夜逃离平凉。

“八百黑”改名

白 浪

蒲剧艺人芦长林,工大净(俗称“黑头”),一年演出工资,可得八百块银元,晋南观众以“八百黑”呼之,“八百黑”便成了他的艺名。1916年,他随剧团到西安,首次在“华晋舞台”演出。那晚他演的剧目是《三对面》,由他扮包公,不巧他临时感冒,换戏已来不及,只好带病上场。感冒伤风,自然影响到嗓音,唱工难以充分发挥,未免使慕名而来的观众感到失望。于是台下有人议论:这哪里是“八百黑”,顶多值六百！好事的人,更恶作剧,把剧院门口出的海报上的“八百黑”涂改成 “六百黑”(八字上加一点一平)。隔了两日,芦长林病愈,重新登台,再演《三对面》,充分显示了蒲剧大净唱工浑厚高亮的艺术特色,博得阵阵掌声。台下又有人议论:听说“八百黑”病

了，今天上场的是“九百黑”。好事者又将海报上的“八”字涂改为“九”字。有不明真相的观众，看了两次演出和经过涂改的海报后说：都说这剧团有个“八百黑”，我头一回看的“六百黑”，二回看的是“九百黑”，到了也没看上“八百黑”。

宁夏土皇帝与“西京梅兰芳”

雷震中

王天民是陕西易俗社著名的秦腔演员，30年代先后数次随易俗社到北平、河南、河北、山西、山东演出，被赞誉为“西京梅兰芳”、“天香院主”，名播遐迩，为秦腔赢得很大荣誉。1941年和1943年，易俗社曾两次应宁夏省主席马鸿逵之邀，到宁夏演出。每到一地，城门上都挂出斗大金字书写的“欢迎王天民”的横幅。群众奔走相告，争相购票看戏。在银川演出期间，每晚都是人山人海，盛况空前。马鸿逵对王天民的艺术十分倾倒，在王天民到达银川后两次馈赠银元八百元，作为见面礼。一天，他摆了一桌酒席，请易俗社长刘介夫、编辑范紫东和几位主要演员吃饭。宴罢，马送走众人，却特别将王天民和康顿易两人留下，很客气地与他们喝茶交谈。交谈中马鸿逵又提出请王天民留在银川，一面演戏，一面为马所办的“觉民社”教练演员。他许诺的条件极为优厚：一、赠送王天民一院房屋，把王的母亲及妻子接到银川同住；二、赠送王天民一万余元作为迁徙银川的安家费；三、负责供应王天民之母终身吸食之烟土。马原以为啖以重利，王天民不难收买，不料王天民却以平日习惯的慢条斯理的语调回答马鸿逵说："我是易俗社的学生，要听先生的话，这事你要先和刘社长、范先生商量……" 马以为有门，忙说："他们你不用管，只看你的主意如何？"王天民却答道："我是要回西安的，我要和我的同学在一块儿。"马鸿逵听了，十分失望，再也无法张口了。

马鸿逵是宁夏的土皇帝，以往曾几次强行扣留过陕西去的演员。为何最后没有采取对其他演员的办法强留下王天民呢？首先是慑于王的声望太高，怕因此得罪三秦人民，惹起其他麻烦。其次，他与易俗社有较长的历史交往，1931年他驻防河南信阳，曾邀请易俗社去信阳演过一次戏，其父马福祥还捐赠了三百银元，为社内添置戏箱，情谊甚笃。更何况易俗社去宁夏时，双方签订有合同，并由他驻西安办事处处长和孙蔚如的三十八军驻西安办事处处长赵雨晴等人出面作保。凡此种种都使他不能对王天民任性胡来。

秧歌剧《兄妹开荒》与哑女马杏

冯国雄

由王大化创作的秧歌剧《兄妹开荒》，最初的歌词中有“人人要学习劳动英雄马家两父女。男叫马丕恩，女叫马杏儿呀……”这马家两父女确有其人，且马杏是哑女。

1944年春节，笔者随陕甘宁边区政府鞋工厂秧歌队给延安市三十里铺附近之寨子峁村民拜年，演完《智捉汉奸》后，接着演《兄妹开荒》。不料演到中间，人群突然变得异常活跃，交头接耳，议论纷纷，更有人高喊：“老马快看，秧歌队唱你们哩！”一打听，才知歌词所唱的马家两父女就住在本村，演完后，笔者又偏巧被派在马家吃饭。

马丕恩几年前和老伴带着爱女从米脂县逃难到这里，住在自己打的一大一小两个土窑洞内。窑内摆设极简，却堆满了粮食。窑内正中贴着木刻的毛主席和朱总司令像，周围有陕甘宁边区政府主席林伯渠等领导同志用红、白布写的奖状。老马夫妇是典型的陕北憨厚农民，待人极虔敬，但不善言谈。马杏是个十八九岁的姑娘，圆圆的脸，剪发头，大花眼(双眼皮)，黑红的皮肤，体格非常健壮。交谈中，才知她是哑巴。但据说她浑身有使不完的蛮力，干活比一般男小伙要强得多，所以这几年父女俩开荒几十垧，每年要给政府交公粮几千斤，故而父女俩都被选为边区劳动英雄。

“自报家门”趣话

焦文彬

田益荣先生(1921—1983)早年参加革命，长期从事文艺工作，历任八路军三八五旅宣传队队长、陕甘宁边区陇东剧团团长等职。有一次他曾向我谈及陕甘宁边区的戏曲运动，说当时在秦腔、眉户等旧形式的采用上，初期大都是旧瓶装新酒，新编的反映边区人民斗争的戏曲，人物上场还是传统形式的“自报家门”。如他们演的关于抗战的戏，关麟征(陕西户县人，国民军师长)上场时，穿的还是蟒袍，扎四小旗靠甲，上场自报家门说：“大将关麟征，陕西户县人……”演彭德怀的戏，彭德怀照旧穿旧戏衣，后来虽改穿军装，但上场后，仍自报家门：“本帅彭德怀，湖南人氏。”有一次在陇东庆阳演一个关于彭德怀的小戏，照旧如此。正好这天彭老总就在台下坐着看戏。彭总看到这里，不仅没有发脾气，还开怀笑了。戏演完后，田益荣请彭老总指示，他只是说：“戏演得好，群众爱看，要多演。”接着又说：“要多演群众的事。”

我问田益荣，什么时候陕甘宁边区的新戏曲、新秦腔才不用“自报家门”这一套了?他沉思了一会儿才说:“大约是1942年以后的事了！”

苏育民的柴担子

焦文彬

苏育民是著名的秦腔演员,工小生。他在演《打柴劝弟》一剧的主角陈勋时,那副柴担子的表演,堪称一绝。苏出身于一个秦腔世家,从小并未摸过柴担子,对打柴人的生活亦了解极少,何以在柴担子表演上能如此精湛?冰冻三尺,非一日之寒,这是来自他长期的生活体验、勤学苦练和艺术实践。

1948年秋天,他赴陕西长安终南山下演出。那里很多观众都是打柴出身,看了他的《打柴劝弟》后,虽然也感到精彩,但总觉得他的柴担子动作不大合窍。苏育民闻知后,便虚心向打柴老人们求教,学习担柴中的闪扁担、单换肩、双换肩、搁担子、摞担子等一连串动作要领。还跟他们一起上山砍柴,仔细琢磨他们的举动,观察他们的情态。开始时,他担柴走路,总是蹑手蹑脚,扁担也闪不起来，偶尔试着一闪，就会左右晃动,前后摇摆,显得很不协调。后在老人们的指点下,放松全身肌肉,大步走开,结果柴担便也闪得轻松自如了。老人们又教他换肩的诀窍:把柴担子的重心放在两肩的中间部位，头灵活地左右偏转,便可自然地来回换肩。苏育民如法炮制,反复练习,练断了五六条扁担,双肩上也磨出了疙瘩。在付出许多汗水代价的磨练中,他终于深深体会到打柴老人们所说的“重担子可以担轻,轻担子可以担重”的奥妙。他在舞台上那副只有十来斤重的道具柴担子，也像是有了百十斤重的分量。

当然,他在舞台上的柴担子动作,并不是生活模仿的翻版，而是在向生活刻苦学习的基础上,进行执著的、反复的艺术创造。这样才使他的柴担表演达到艺术上的逼真,也使他的《打柴劝弟》成为群众百看不厌的艺术珍品,而他也由于在第一届全国戏曲观摩演出大会上演出此剧而荣获表演一等奖。

郭道士秘藏《百本通》

焦文彬

1971年春天，我被派往陕南安康县郭家湾支援三线建设。一天,我正在为工地编写一个小剧本,边写边唱,惊动了房东郭瑞清大爷。他那时已有八十多岁，人称郭道士。老人见我会唱戏,甚是高兴,立刻爬上阁楼,拿来一些东西给我看，其中有许多皮影人物，还有一本厚厚的册子，封面上题着“百本通”。皮影人物刻绘得简朴传神，十分精致；而那部“百本通”更引起我浓厚的兴趣。

翻阅之下，发现它是艺人传授技艺的百科全书，其内容可谓包罗万象。如生、旦、净、丑各类角色，随其身份、年龄、场合、境遇之不同，各有不同的唱腔和道白。“唱”包括不同的起板接板倒板和煞板，以及七字句、十字句等各种句式结构；“白”则有定场诗、下场诗、自报家门，以及各类人物的不同情况下的自称、互称和道白。这些人物的出身、经历、教养、遭际又如何决定了他们的性格及举止，上场、下场的动作也各有其规程；还有戏剧音乐的组成方式以及许多板路的演奏方法。此外，还有编剧常识，如剧本的构成、情节的发展、结束等等……在每个条目之下，都有举例和示范，确是容量丰富、洋洋大观。像这样“戏剧大典”式的著作，市面上从来闻所未闻，见所未见，想不到今日在民间竟发现了珍秘。难怪以往那些文化程度不高的唱戏艺人能在几年中学会几十本戏，不同戏班出身的艺人也能够随时联袂演出，配合默契，靠的大概就是此类传统“教材”。

郭道人是道情戏世家，其先人于清代康熙年间逃难到安康落户，世代以演唱道情、秦腔、二簧为生。直到解放前，因世事动荡，备受磨难，老人才在鲤鱼山入了道门，但仍珍藏着这部传

家之宝。我很想借来抄写一份，但老人执意不肯,只得作罢。

“想生贵子藻露堂”

成岚　张厚墉

西安过去流传有“想生贵子藻露堂”的俗语。藻露堂坐落在五味什字，是西安地区最古老的中药店，迄今已有三百七十年的历史。该店秘方炮制的“培坤丸”，具有调经和血、补气安胎的功能，主治妇女赤白带下、月经不调及由此引起的不孕症，功效显著，故而闻名遐迩。秦腔著名丑角老艺人苏牖民还把培坤丸编入了《白先生看病》的戏词中，白先生夸耀自己的名药有“人丹宝丹四季丹，藻露堂的培坤丸”，可见其知名度之高。

藻露堂创立于明代天启二年(1622)。其后历代相传,久盛不衰。至民国二十年(1931)左右,资金已有二万银元,从业者十六七人,日均销售额约二百银元,可称日进斗金。

培坤丸的处方,世代保密,传媳不传女,调配也一直由历代的掌柜娘子在密室中操作。1955 年配方公开,主要成分有:熟地、茯苓、陈皮、白术、白芍、川芎、党参、甘草、山萸、杜仲、元胡、肉桂、五味子、鹿胶、龟板、吴萸、当归、酥油等二十余味。据黄竹斋先生后来验证,这个秘方是根据宋代一个成方组配的。

培坤丸由于药材选用地道,炮制要求严格,所以疗效异常显著。藻露堂的厅堂上挂有一副"修合全无人见,存心自有天知"的对联,被遵为制药的最高原则。药橱上的另一副对联"但愿世人常无病,那怕橱内药生尘",则体现了药店在经营上的高尚精神追求。

藻露堂的招牌,系清代乾隆年间著名书法家张玉德题写,笔力浑厚、凝练、苍劲,为书法中名品,吸引不少行人为此而留步欣赏,现尚存。民国三十四年(1945),培坤丸注册商标为"松童牌",取意于贾岛诗:"松下问童子,言师采药去。"凡此种种,似乎都显示着这个企业当年的文化精神。

户县的“炉客”

王宗西

今日四川的康定,旧称“打箭炉”,是汉藏经济贸易和文化交流的枢纽。户县把前往康定(包括康定以西广大地区)经商的户县人称为“炉客”。清末到民初,户县在康定的炉客多达三千余人。仅“炉客”开设的德泰和一家商号,户县籍的店员就有一百二十多人。不但当时西康所属的甘孜、卢霍、巴塘、昌都到处都有户县“炉客”,就连远在西藏的拉萨、青海的玉树、云南的丽江,也有“炉客”商号的分支机构或“庄客”(采购、转运人员)。

康定的泸河西岸,是商业集中的街区,有户县“炉客”的商号四十多家。其中经营历史较长的有茂盛福,开业达一百五十多年;资金最多的德泰和,流动资金约一百万银元;其余的如和盛公、德茂源、裕泰隆、如意和、鸿记、同庆德、吉泰长等,开业时间有的达百年以上,一般资金也在十万至三十万元。其经营商品,运进藏区销售的有茶叶、百货、布匹等。茶叶的产地在四川雅安,由陕西“泾阳帮”收购加工后,百分之九十以上都由户县“炉客”转运藏区,每年达四千多驮;在西藏收购的则有黄金和麝香、虫草、贝母等贵重药材以及羊毛皮张等，全都销往成都、重庆、沙市、武汉、上海等地。一些资金雄厚的“炉客”商号在这些大城市中都设有分支机构或庄客。个别“炉客”还同外商直接来往贸易，如泰来恒就与美商直接进行过药材交易，德泰和经理陈洪涛曾接受英国某大学赠予的学位。

“炉客”中除少数城镇的坐商外，大多数是雇用马帮、牦牛驮上货物或自己背上货物，翻山越岭，风餐露宿，深入牧区进行交易。还有个别人在康定等地开设旅店，举办汉藏学校和私塾。康定地方某些大会的日期与名称和户县牛东乡牛东村大会的日期完全相同。如农历正月初九日为“上九会”，三月初三日为“娘娘婆会”，七月初七日为“亲友会”；甚至连逢年过节敲锣打鼓的调子，也是牛东村的鼓乐音调。

康定有秦晋会馆，坐落在陕西街北端的诸葛街上，规模较大，有房一百多间。会馆有互助基金，两省人在康定生活有困难或回家无路费者，会馆常给予资助。“炉客”经营的商号中还有一项制度，就是学徒店员每人每年要设法储蓄近百元，十年左右可储蓄近千元，然后方能回乡成家立业。户县乡间有句谚语：“有女莫嫁‘炉客’家，半辈夫妇半辈寡。”实际上大多数“炉客”除中途回家小住几年外，几乎把终生都贡献给了康藏边疆的民族贸易事业。

1949年建国后，“炉客”经营的商业，先后经过了社会主义改造，部分“炉客”回到户县。户县青年人中下川走炉的风气从此中断。

蓝田的“油布绺子”

沈自励

清朝末年在蓝田一带出现过一种地区性货币(或代用币),叫“油布绺子”。

“油布绺子”用布料制作,经木板拓印后再涂以桐油而成。上面的印文有当值若干文的钱数、清朝当时的年号、发行油布绺子的商号名称等。

辛亥革命前,蓝田县几家当铺,如“德元当”、“敬信当”就出过绺子。出绺子是当铺的一种聚敛方式,典当者拿衣物在当铺当押,当铺就拿他们出的绺子作为现款付给(绺子可以和硬货币同时在市面流通)。当押到期时,可以用官方铸造的银元、铜板、铜钱赎取衣物,也可用当铺出的绺子按其与正式货币的兑换率作值赎取。兑换率随原发行商号的兴衰而浮动,商号的生意好,绺子就信用好,兑率高;商号的生意不好,绺子就信用差,兑率低;甚至随着商号的倒闭,绺子也会失去使用价值,成为废物。

这种“油布绺子”,一般都是当铺、盐店等大商号出的。要发行绺子,须先呈请县衙门批准,大商号要以本身资金作为抵押,发行的数量以资本额的多少而定,不能乱出。但在政治腐败、经济混乱的当时，只要有钱行贿，所谓保证金不过是掩人耳目而已。商号倒闭，绺子失去价值，倒霉的还是贫苦的老百姓，拿上绺子，一文不值，徒叹奈何!

辛亥革命以后，蓝田再未见出过绺子。尤其是1917年马水旺（马二营）匪帮由商南窜到蓝田，把蓝田县城洗劫一空，蓝田的私营大商号全部毁灭，从此再未见过绺子。

西安“天锡楼”

晋震梵

清末民初，古城西安经营回民酒席者仅“天锡楼”一家。其炉头对牛羊肉菜肴颇有研究，技艺高超，最著名的是全羊席一百零八样，其中有滚盘珠(羊眼)、尝百草(羊舌)、登云梯(羊蹄)、红烧云头等名贵菜肴，每席约需二十多银元。其他拿手菜，还有核桃腰子、黄焖全鸡、铃铃丸子、红烧如意、鲤鱼跳龙门、口蘑汆如意、烤鸭、烤全羊等。地址在北桥梓口西北角，为旧式二层楼，进门一间为三层楼，设有雅座招待高级顾客，由于独家经营清真酒席，所以生意特别兴旺。

八国联军侵华，慈禧挟光绪逃来西安。一日传旨到天锡永(天锡楼原名)，要品尝回民酒席。于是餐馆漏夜添置餐具两席，筷子用象牙包银

头，调羹以象牙作柄，纯银为勺，盛汤、菜的碗、盆均用花形细瓷，酒杯为雕龙细瓷。慈禧来到天锡永时，在三楼雅座吃饭，四周戒严，餐馆内端菜的侍者，送至楼门口即由近侍捧入。饭后慈禧甚为满意，为餐馆改名“天锡楼”，从此天锡楼名声四扬。民国以后，张凤翙、张云山、马玉贵、马福祥、马鸿逵、马鸿宾等名人均曾多次在天锡楼宴请宾客。30年代蒋介石、白崇禧也曾来此品尝。

天锡楼的酒席大菜所用羊肉，系派人在甘肃西峰镇采购优质肉羊运到西安自行宰杀的，肉鲜味美。其他名菜也以鲜美著称，如“鲤鱼跳龙门”，即系油煎爆炸带汁的鲜活鲤鱼，端至桌上用力一放，鱼眼一翻方才死去，下筷即食，鲜嫩异常。

天锡楼在清末民初时，除掌柜外，有店员四十余人。待遇为日工资，累计每月最低二十元左右，最高六十余元；小费收入按当日收入现金总数分成提取，炉头加倍。故当顾客一进馆，便主动热情接待，喊堂之声不绝于耳。

西安解放前夕，天锡楼因经营不善，生意清淡。解放后，以经营牛羊肉泡馍为主。1958年公私合营，其名渐不为人知。原天锡楼的金字牌匾，系大书法家于右任所写，也已废弃。

天锡楼资料在“文革”中毁灭净尽，此文所记为光绪年间掌柜之孙马天民口述。

陇海路西安站选址内情

冯增烈

陇海路西安车站原址，本拟建于今北门外自强东路二路公共汽车站左近，后始改今址，其中因由鲜为人知。原来该处为西安回族历代聚葬之最大公共墓地，坟冢累累，俗称“楼上楼下”，即层层埋葬，约计万余。消息传出后，回族社会哗然，一场争扰势所难免。为了避免事态激化，亦不忍遗骸暴露，西安回族实业家冯瑞生遂自购宁夏高级轻裘二十件，连同其他礼品，亲赴郑州、南京交涉。由于郑州车站回族站长王月波与某外籍朋友的帮助，冯氏得以与南京政府铁道部次长兼陇海铁路总局长钱宗泽反复协商，遂改西安车站为今址。但此事又引起新址居民反对，上告省政府。冯氏因又晋谒杨虎城主席，面陈利弊，于是由杨虎城派人调停协商，将当地居民搬迁于今北稍门附近，另建新村，名曰“联志”。以如今车站规模观之，新址既有扩建余地，亦无损于北关城厢，或当日改址之所考虑也。

杨虎城与咸铜铁路改线

朱任天 稿　朱明志 整理

1935年冬,我在陕西临潼县阎良镇(今为西安的一个区)任联保主任,从报上看到了计划修筑咸(阳)铜(川)铁路的消息。我觉得它经过三原、瓦窑头、富平,再到铜川的设计方案颇为不妥。因为瓦窑头系高原地带,工程上必然多费人力、财力。如绕道阎良,避开高原,过石川河北折入富平,则可大为省事;而且,阎良如有车站,从朝邑等地甚至山西过来的货物都可在此集散,这对繁荣阎良,大有裨益。我和李澄溪、高文渊等磋商此事后,就将铁路线宜改道阎良的意见写信呈报当时的绥靖主任杨虎城将军。只是自觉人微言轻,担心不起作用。想不到杨主任对我们的建议十分重视。不久,他就派了一位工作人员带着省府的指令,来和我们交谈了有关铁路改线的问题。不久,省上又派来一位线路勘测工程师,和我商谈勘测及修筑方面的具体问题,并要求乡亲们予以协助。我当然都高兴地答应了。

咸铜铁路已通车几十年了。每当我在阎良车站上车、下车时,就不禁想起当年杨虎城将军虚心听取意见、从善如流的可贵精神,油然而生钦佩之情。

西北棉花机打包厂

冯增烈

冯瑞生是民国年间西安著名的回族实业家，曾任西安德泰光美孚煤油股份有限公司董事长兼总经理。1930年前后，他又创建了“西北棉花机打包厂”，除德泰光及冯氏投资外，还向西安回民征集股份，并吸收上海银行入股。冯氏出任董事长，聘段敬甫为经理，上海银行王玉书担任会计，其他生产、财务、推销、材料、消防以及车间等负责人，回民担任者将近半数，并招收男女工人千余名。该厂占地三十亩，建于盛产棉花地区渭南西关的南原上，有弹花车间十五个，打包机为德国产的两斗推盘式，装有五十马力之柴油机，由苏联人尤尔柴夫任技师。1934年农历三月机器安装完毕，冯氏亲自试车验收，可日产棉花六百余包，每包二百五十公斤，运往汉口、上海、天津等地，供应该地纺织原料，效益极佳。抗日战争爆发后，因东部各省沦陷，影响了运输及销路，遂告倒闭。该厂虽规模不大，营运亦为时不久，但系穷困之西安回族历史上第一家工业企业，故为之记。

西安商界的“镇平帮”

罗　汉

抗日战争期间，豫西南镇平一带所产土布、丝绸，盛销西北。当地商人来西安销售，西北各地客商也来西安采购，在西安形成了一个颇具规模的丝绸、土布行业。从业者皆镇平同乡，于是，西安商界就有了一个“镇平帮”。

当时，镇平帮的商业活动集中于南院门一带繁华地区。具代表性者，有南院门大保吉巷口之“正大商行”和北广济街之“四时行”。“正大”掌柜姓王，身高体胖，大腹便便，剃光头，穿长衫，典型老式商人模样。“四时行”业务经理姓吕，却是西装革履、金丝眼镜，一副新商派头。两家主持人虽风格迥异，却都能广结善缘，招得客商盈门。商行系批量交易。零售商分布于南广济街一带，也都是镇平人。

随着丝绸业的兴盛，丝绸染色的手工作坊也应运而生。西大街迎祥观就有几家镇平人开的染房。有一家业主叫苏克岩，还是一位文化人，画得一笔好花鸟。

这些商人，要把所得钱财带回镇平，也费尽了周折。有段时间，由于没有适销的回头货，纸币又一日几次贬值，故只能买成金银带回。当时去镇平有两条路：南路过商州，北路走洛阳。南路盗匪如毛，自不敢走；北路潼关、洛阳间火车不通，需坐汽车。开头还算平安无事。稍后，潼关、灵宝间之黄土原地带，亦出现盗匪拦劫。遂有人雇用妇女，藏金银于贴身隐私之处，居然混了过去。时间一长，此法也不灵了。有某商重金雇母女二人，藏金条于月经带内。车行至黄土原时，忽闻两声枪响，路旁玉米地里，跳出一伙人来，持枪挡道，拦住汽车，乘客俱被赶了下来。盗匪们有对乘客搜身者，有登车搜查行李者，有持枪了望监视者。那母女二人也被拉到玉米地里，脱光衣服，搜去了金条。幸而盗匪对司机们还算网开一面，只要拦车时你停车，他们就不破坏你的汽车，也不搜刮你的财物。商人瞅准了这一点，便又找几位家住镇平、内乡一带的熟司机帮忙。司机们八仙过海，各显神通：工具箱、汽油筒、备用轮胎、司机座垫……都成了藏金匿银的"保险箱"。这样一来，行商、商行、零售商、染房以至司机，都是清一色的镇平人，成了一个名副其实的"镇平帮"。

镇平帮在西安商界，很红火了几年，但在漫漫的历史长河里，只不过是一件昙花一现式的事物。随着生产力的日益发展，手工方式生产的土布、丝绸，自然而然地被淘汰了。经营它们的镇平帮，也随之而解体，他们中的大多数人，已重返故里，少数留西安者，已另操他业矣。

行销远近的“雁塔布”

潘应蓬

大华纺织厂是陕西和西北地区最早最大的纺织企业，始建于1934年，位于西安东北方向的太华路东侧，北临唐大明宫遗址，南近西安火车站，占地四百四十二亩，1936年建成投产。因系石家庄大兴纺织厂投资，初名为“大兴二厂”。后来武汉裕华纺织股份有限公司又增加投资一百万元，遂取大兴的“大”字和裕华的“华”字，改名为“长安大华纺织厂”。

大华纺织厂十分重视产品质量，所产的“雁塔布”(“雁塔牌”白平布)与当时畅销中国市场的日本龙头布为竞争对手。该厂尤其讲究浆纱技术和保全、保养工作，使“雁塔布”在色泽、手感及外观方面都独具特色，在西北、西南少数民族地区，行销极广。人们一提起大华纺织厂，就会想到“雁塔布”。

抗日战争期间，国民党政府军政部第一军需处确定该厂为特约厂，所有产品，供应军需，对支援抗战发挥了一定作用。

发票贴在印花上

郗　琳

抗日战争中，大片国土沦陷，物资缺乏，市场供应困难。奸商乘机囤积居奇，攫取暴利。加上国民政府无限制地滥发纸币，造成通货恶性膨胀，以致市场物价不断飞涨，甚至一日数变，犹如断线风筝不可收拾。记得当时有人写过一首打油诗，其中有一句是“信封贴在邮票上”。说的是邮资也随物价飞涨，发一封信要贴上几十张邮票，比信封的面积还大，原来邮票是贴在信封上的，这会儿却只好倒过来把信封贴在邮票上了。这虽出于诗人的戏谑，但对当时国民政府统治区惊心动魄的物价腾飞和通货膨胀，却也不失为形象的概括。不幸的是无独有偶，我还经历过一桩与此相类的奇事——发票贴在印花上。

“印花”是俗称，指国民政府统治区通行的一种印花税票。那时商店出售东西，一次货款超过二角的，都要开具发票，并按税率贴足印花，自行盖销，作为零售商品已经纳税的凭证。印花的面值一般只是几分、几角。后来随着市场物价的飞涨，出现了几元、几十元乃至一百元的大面值印花。解放前我买的书，发票都夹在原书中，眼下手头还有几本。一本是1942年6月版《方舆纪要辑要》，定价 2 元 5 分，1944 年 2 月 17 日售价 154 元，与另一本书合计 207 元，贴了两张印花：一张面值 1 元，一张 2 角。一本是 1944 年 10 月版《禹贡地理今释》，定价3 元 5 角，1946 年 1 月 25 日售价 840 元，与另一本书合计 1370 元，也贴了两张印花：一张面值 4 元，一张 2 元，共 6 元。另外还有一本袖珍《英汉四用辞典》，1947 年版。当时全面内战已经开始，国民党统治区发生经济危机，物价直线上涨，书后索性连定价也不印了。印花竟贴了十二张，每张面值 100 元，共 1200 元。这么多印花，一张小小的发票哪里容纳得下。到头来只好把发票贴在印花上。解放后我把它们剪了下来，贴在书后的空页上，赫赫然占满了两个整页。这样一来，发票也就被毁掉了。书价已无从查知，按比例当在20 万元以上吧。反正人们把当时的物价指数戏称为“天文数字”，也许只有经济史家才能考证了。

湮没在秦岭深处的古城

王安泉

从周至县城乘车，南入秦岭深山一百六十里，即到傥骆古道上的重镇厚畛子，舍车继续往南，沿古道步行四十里，就是佛坪古城的遗址。它是国内极为罕见的保存较完整的古代县城遗址之一。

穿过田地，拨开荒草，擦洗碑石上年代久远的苔藓尘封，佛坪的历史便显影般呈现出来。这片坪地原先是遮天蔽日的原始森林，清道光四年(1824)，同知景梁曾招抚移民，在这块东西约十里、南北约三里的船形坪地上，修城建署。次年置佛坪厅于此。当年留在城西的一棵塔形古松，今已十丈多高，胸径一丈，像船形坪地上高高耸立的桅杆，它是创业者的天然纪念塔。

跨越岁月的阻隔，古城整齐的街道布局依稀可见。东西一条大街，正中至南门一条副街。同知府居于中心，正对丁字街口，两边雁阵般排开守备、把总、司狱、学署、书院、常平仓、文庙等官署，商号民房则拱立于大街以南，副街两侧。西门外设历坛、演武场、接官亭等，东门外建义仓及城隍庙等。据志书记载，清道光五年(1825)，佛坪辖3875户，21830人，区划为四里三十甲；到光绪八年(1882)，佛坪户口增加了两倍多。城内曾额定守兵253名，加上官僚胥吏，仓狱驿卒，工农商从业者，城区约二三千人。官办的板号、铁厂、木厂，私营的工商字号，生意都相当兴隆。每逢一、四、七集日，四乡山民上市，山城整日热闹。1913年，废厅改县以后，土匪经常出没，骚扰县城。1925年，县知事的弟弟被土匪绑票，知事惊恐非常，于1926年将县城迁往袁家庄今县城。此地因交通不便，人烟逐渐寥落，终于不为人知。现在，古城外只散居着二十五户人家。昔日繁华只能从斑驳废址中去寻踪觅迹了。

据《佛坪厅志》记载：城“基阔二丈，顶阔一丈”。城基用汉白玉石条浆砌。城墙外皮砌以石头，墙身用白灰沙土混合筑夯，坚固耐久。环城三门，东门称“景阳”，门洞已塌，不通；南门称

“延薰”，已废；西门称“丰乐”，门洞虽坍损，仍可通行。汉白玉石条砌铺门道，青砖卷成城门洞，东门一带集中了大型石雕。城东南的白云塔，六角形，据说七层，“文革”中被拆，现在只能看到堆放在路边的几十块巨大的汉白玉构件。文庙三龙戏珠大浮雕，长六七尺，宽三四尺，三条巨龙腾空欲飞，首尾呼应，争嬉大珠，构图圆满，刻法严谨，一鳞一须也精细入微，是不可多得的精品。衙署的鼓形浮雕花纹门墩，一米多高，巧妙地利用了汉白玉中的天然淡蓝纹理，刻成栩栩如生的图案。

遗址附近的药王洞、天帝庙、铁厂坪、杨泗将军泉、灵泉等名胜，珍珠般镶绕周围。铁厂坪有清代道光、咸丰年间采矿、炼铁的遗址。城东城隍庙的大钟，高 1.13 米，胸部周长 2.17 米，就是用铁厂坪的铁就地铸造的。杨泗将军泉在都督门东南，泉边有棵大杨树，高六七丈，有两抱粗，根下涌出泉水，汇成一泓小溪，流量每秒半立方，水温 12℃左右。

到过古城的人，都称赞这里是旅游览胜、避暑度假、科学考察的理想场所。

《法规常昭》团结碑纪事

王仲一

清咸丰年间，高陵县境内回民，多居县东西两端及泾、渭沿岸一带村堡，除偶有细小纠纷外，一般回民经营药材、山货、皮货、饮食各业，一直与汉族互惠互利，和睦相处。县境办有多处回民义学，也建有关马寺、清真寺等多处寺院。延至咸丰八年春，县东境关马寺一带的辘轳把村、塬吴村以及与临潼县接壤的东鬲西鬲村，回汉民之间竟为羊吃青苗，多次引起斗殴，几乎酿成事端。后在地方乡约、里正、百长主持下，邀合各村回汉族头目，立碑志盟，恢复旧好。碑额题名为《法规常昭》，所撰碑铭并序为《回汉团结碑铭并序》，碑身高 1.5 米，阔 0.7 米，其刻文约计五百字，竖排，字如小枣大，一半为汉字，一半为回文(汉字在前)。内容大略为：回民放牧，经常糟践、偷食汉民田禾；汉族子弟打死回民牛羊多次，引起纠纷。两族官人议定，为保今后不再发生纠纷，协议立碑，各自管好牛羊，约束子男，今后再不重犯，永保睦邻之谊，以此为法规常昭。下署咸丰八年春季，立碑人，全系周围村堡首领人物，约计二十多人。此碑立于关马寺门前路旁。

1956 年秋，陕西省人民政府电告高陵县政府:“据爱国人士刘安国反映，你县辘轳把村以南、塬吴村以北的十里旷野一条大路旁,有一记载回汉族团结的记事碑,可作为重要文物,希查询并妥善保管。”我当时在县文化馆负责,得电告后,受政府委托,即和文教局一干部骑自行车前往,在十里旷野中来往穿梭,遇路步行,遇桥细觅,也查遍了私人坟园墓碑,奔走三日,均未发现。

延至1958年夏收，县上组织文物普查队，又查三日,仍无所获。时值炎夏,有人提议到临潼县属的西鬲村水车井上洗澡饮水。及至井边,推动水车,在出水口处,隐约可见“羊××只,牛××头”字样,众人喜出望外,随即搬开井口,遂显出一通石碑,细洗细读,竟见前述内容,即为多年觅求之“宝碑”。

临潼县的“二衙门”

王翰章

1990年陕西文物部门征集到一方临潼关山分县的官印,铜质柱钮,长方形印面,长7.6厘米、宽4.5厘米、高8.1厘米、厚4厘米(指不带印钮的印面部分的厚度)。印面右阳文篆刻“临潼县分驻关山镇县丞关防”十二字,分两行,行各六字,左边刻满文三行,一行为行草,一行为楷书,文义同右。印侧左刻“同治四年十二月”,右刻“同字五百五十九”。印背右刻“临潼县分驻关山镇县丞关防”一行十二字。

临潼县地域辽阔，面积1111平方公里,为关中地区四大县之一。县境以渭河中分为南北两部分。关山镇位于河北,自汉至宋曾先后归万年、栎阳、广阳、障县、平陵、粟邑等县管辖,北宋时始归临潼县。因距县城较远,且有渭河相隔,同时在政治、经济、军事等方面都占有重要地位,为便于管辖,清代曾在此设分县,派有县丞,为临潼县政府的派出机构,群众称为“二衙门”。这一历史事实,新旧县志均未见记载,此印的发现,可补史志之阙。

此印是清同治四年(1865)十二月铸造的,名曰“关防”,取“关防严密”之意。按清代制度,凡临时派遣的官员用长方形官印,称“关防”。此印与清代制度亦合。

题写西安四城门匾额的人到底是谁

郭子直

民国初年,西安市四个城门上,都镶着魏体大字的石刻匾额:东门名“长乐门”,南门名“永宁门”，西门名“安定门”，北门名“安远门”。字大逾尺，方劲雄浑，款题张凤翙。张是辛亥革命后首任陕西都督。及时改题四门匾额，正所以显示陕政鼎新之意。

其实，这些匾额的执笔人，并不是张凤翙，而是西安书画名家刘晖(春谷)先生。这段轶事是毛昌杰太老师亲口说的。毛老世居西安，向为陕西名士大老。于右任亦为其门弟子之一，于并曾为其整理遗著，编成《君子馆全集》六册行世。余幼时曾随先父多次赴西安大湘子庙街毛寓求教。毛老对先父说这番话时，我们弟兄正随侍在侧，至今记忆犹新。1988 年《刘晖书画选》出版，以书中所收魏体大楷屏条、对联等，与西安城门匾额对比，在结体与运笔上，均出一辙，于此更足以证明毛说之真实无误。

刘晖在艺术上的最高成就是山水画，书名往往被画名所掩，其门弟子和后学学习他的这种画法，从而形成长安画派。民国十五年(1926)刘镇华围西安城时，刘老正困居围城，艰苦奋尝。上海艺术界名流风闻刘老已饿死西安，即在沪开会追悼，同时北京湖社画刊曾出刊以志悼念。

今天的读者可能疑惑不解：既然四门匾额是刘晖的手笔，为什么又刻着张凤翙的名字？其实这也是那个时代的陋习。四门匾额是省会的观瞻所系，须由全省最高长官署名，才足以表示庄重，可是最高长官未必擅长书法，于是便请一位名书法家代笔，而填上长官名讳，以传久远。

佚而复出的《颜勤礼碑》

赵敏生

《颜勤礼碑》为唐代大书家颜真卿的代表作，其流传之广，影响之大，在古碑中鲜有能与之比肩者。宋代欧阳修在《六一集古录》中曾收录此碑，并加题跋。可是这件国宝自元祐年间忽然失其所在，近千年间，不知去向。

民国十一年(1922)，刘镇华任陕西省长时，修葺省长公署，其卫队营长何梦庚在后院土中发现此碑。石虽中断，而上下皆完好无损。消息传出，时人视为神物复出，当即有在坑沿拓印者，拓本中碑阴末行断处的“故”字上下可以合拢，笔画无残缺。其后数日，移碑于前院竖立，“故”字上下接口处已有损伤，不能合拢。六年后，移往新城小碑林时，“故”字大部损伤，仅存几个残笔。其他第六行之“介”字，第七行之“黜”字，亦泐为三分之一。1948年复由小碑林迁至西安碑林后，“故”字全泐，“介”、“黜”、“绝”、“曾”、“判”、“县”等字均遭严重损伤。国之瑰宝，不能善爱，以致累迁累伤，言之令人痛心。

关山古城

冯钧静

西安阎良区关山古城，于明清之际为屯兵关隘，渭北重镇，以地处乔山南麓洛河西岸之荆山原上，故名关山。

古城呈长方形，南北宽1.5华里，东西长3华里。城墙高两丈余，基宽五丈，顶宽八尺，围以城壕。设东、西、南、北四门，四门至四城角，共设炮台十二座，炮台均突出城外两丈许，与城墙相回抱，其形制略异于一般城池。各门上端，皆镶以青石横匾，长可5尺，宽2尺余，石刻汉字匾额，上镌四字，东门为“洛水环清”，南门为“渭北长城”，西门为“嵯峨拱翠”，北门为“山屏斗耀”。笔锋遒劲有力。迨至民国，关中一带战乱频仍，古城以其形胜，仍显示出其重要的战略地位。

1918年，刘镇华、陈树藩北渡渭河，企图消灭渭北的靖国军。时李虎臣驻防关山，凭险据守，与古城东北三里许的杨虎城军犄角相依，英勇阻击，卒使刘、陈不能前进一步，为靖国军建立渭北根据地奠定了基础。1927年渭华暴动后，共产党人许权中曾率部进驻关山休整。

农业合作化时，到处搜肥积肥，古城墙被当作肥源搜挖殆尽。漫漫岁月，星移斗转，如今连

城壕也填平利用了。短短数十年间,古城雄姿竟不复可见。

《熹平石经》残石迁运记

马文彦 口述　郭叔蕃 整理

东汉石经,刻于汉灵帝熹平四年(175),所以称为《熹平石经》。由蔡邕以八分体书写。从经学方面说,它校正了五经文字;从艺术方面说,它是两汉书法的总结。

《熹平石经》残石一块,两面刻有491字,是于右任任南京监察院院长时,从洛阳古董商人手里买到的。当时付给半价,暂存洛阳。1933年,杨虎城将军因公去南京,与古董商约定,专车到洛阳时,即在车站交接残石。为了交接这件文物,杨将军约我同行,但车到洛阳,却不见古董商等候,车未久停即行东开,到郑州始见古董商其人,而汉残石并未带来。杨将军即派随从副官申明甫偕同古董商,用专车车头挂了一辆客车,专程开到洛阳,取到残石然后返回。第二天开车前,用杨将军名义补给了古董商二千元价款的条据,叫他到西安陕西省银行取款。我当时曾问古董商:“原约定在洛阳车站会面,为什么你却先到郑州,多一番周折?”他说:“我怕专车带走不给钱。”奸商伎俩如此,我以一笑报之。车到南京车站，于右任已派专人迎候，即将残石交付，转送上海保存。后来，中日战争形势紧张，又由上海运到陕西，请富平张扶万鉴定。他认为确系蔡邕所书，为东汉文物，随即赠送西安碑林保存。这块千余年前的古代文物，往返数千里后，终于在西安碑林安家落户。西安碑林建于北宋元祐五年(1090)，当时陈列的都是唐及其以后的碑石，汉魏石刻并无一方。增加《熹平石经》残石后，碑林亦因此而增色。

《熹平石经》残石运到上海后，曾经以拓片影印。前故宫博物院院长马衡在其《汉熹平石经周易残字跋》一文中说："孙伯恒以影印汉《熹平石经》残石墨本见贻，云洛阳新出土而转徙至于上海者。石两面刻：一面为《周易·家人》迄《归妹》十八卦，存二百八十六字；一面为《文言》、《说卦》，存二百有五字。通计存字四百九十有一。此诚旷代之至宝矣。盖宋人录《熹平石经》，多至千七百余字，独未见《周易》，不意后八百年，更得此经数百字。吾辈眼福突过宋人，何其幸欤?"

一尊石佛的故事

王翰章

1931年，陕西三原县柿子坡农民萧德印，在打井时挖出一尊北周年间的石佛造像，单面雕刻，座有线雕花纹，并镌有“天和四年”(569)字样和供养人姓名，艺术价值极高。萧便委托古董商李世元代为出售，并让其装箱带走。

此事被驻三原县陵前乡之“剿共”军营长石宝珍得知，便于逮捕我地下工作人员王瑞奇时，借口萧德印与王有来往而将萧一同逮捕，捆绑悬吊，严刑拷打，逼其招供石佛下落，而萧始终未招。不久，又有人探得萧德印托李世元出售佛像之事，并告知石宝珍。后乃将萧押至三原县城，再次拷问，并召来李世元对质，将石佛攫走。众乡党集资一百六十元联名将萧保释，萧已成残废。

解放后，石宝珍被政府管押(后被处决)，萧德印提出控诉。经裁决，石宝珍赔偿麦子五石，并归还石佛与原主。1954年，萧德印之子萧明义将此珍贵文物捐献给三原县文化馆。

青铜器上血斑斑

王翰章

位于陕西扶风、岐山两县之间的周原，是先周的国都所在地，也是周民族的发祥地。自汉宣帝神爵四年(公元前58)起，这里便不断有青铜器出土，被称为“青铜器之乡”。新中国成立前，这里出土的青铜器，被大量盗运国外，许多农民因挖出青铜器而被豪绅和土匪抢掠殴打，弄得家破人亡。

民国二十二年(1933)夏季，一场雷雨过后，法门镇康村农民康克勤父子，在村东约一百米处土壕边，发现被水冲出的一处青铜窖藏，器皿整齐地排叠在一起，约有一百余件，好多件上都铸有铭文(后经考古人员调查考证，得知这批宝物是周厉王时期的“函皇父”器组和“白鲜父”器组，是一批宗庙重器，其历史、考古价值极高)。这批文物出土后，康家父子卖掉了一部分，为防止官、匪抢劫，将另一部分埋藏了起来。一天夜里，一群土匪来到康克勤家，因得不到文物，便将其父子活活打死。被埋藏的那部分青铜器，至今无人知其所在。

民国二十九年(1940)农历二月初一，扶风任家村农民任玉、任登霄等人，在村外土壕取土时，挖出一批窖藏青铜器。窖如窑大，铜器整整齐齐垒放在一起，共一百余件。出土后，被土匪得知，曾多次包围村子，拷打群众，有四人被打死，五人致残。这里农民有谚语说：“富人挖宝发横财，穷人挖宝遭祸灾。”据任玉的朋友谭法云说，青铜器出土后，任玉怕土匪来抢，便把一部分转移到岐山县贺家村贺应瑞家。这一部分文物，1942年经太方村傅鸿德、益店镇北营村王有超之手，先后卖掉。后来有的刊物登载1942年岐山出土青铜器的消息，指的就是这批器物，即有名的梁其和善夫诸器，有鼎、壶、簋、盨、钟等，其中有的已经被盗卖出国，大部分仍在国内。

西安新城小碑林始末

赵敏生

新城小碑林始建于民国十七年（1928）。其时，宋哲元将军主陕，省政府由今社会路原省长公署旧址迁往新城，公署中所藏颜真卿书《颜勤礼碑》亦随迁至新城。宋氏又先后由兴平、华阴、富平等地迁来《黄山谷书诗》、《经锄堂法帖》、《汉武都太守残石》、《唐述至圣碑》、《美原神泉诗》等汉唐以来碑石三十余种七十余块，于新城北门内建廊庑十余间以收藏之，命名为“新城小碑林”，复延名士宋伯鲁、宋联奎、毛昌杰等为之题记,刻石立于其间,以志其盛。

兴建小碑林之旨义,宋伯鲁记曰:“(宋氏)念秦中石墨自秋帆尚书(清人毕沅,曾任陕西巡抚)后,百八十年未闻有继之者,虽唐代碑碣日出不穷,无以聚之,不免为有力者所夺;而况丰碑断碣出于道旁地下为尚书所不及见,如《颜勤礼》等碑,又乌可弃而不收哉!”

新城小碑林建立后,诸名贵即雇人日夜拓印各碑石以为欣赏、临摹、馈赠亲友之用。后来杨虎城将军任西安绥靖公署主任兼主陕政时,亦曾派人拓印小碑林全套几百份(其中《颜勤礼碑》约千份),送往南京,分赠中外金石爱好者。

1948年后,小碑林之碑石移交西安碑林保存,此一名胜历时二十年后遂不复存在。

“三绝”墓志

张鸣铎

民国十二年(1923),曾任陕南镇守使的张钫,为其亡父镌刻墓志,由余杭章炳麟撰文,三原于右任书丹,安吉吴昌硕篆盖。章乃文坛泰斗,于乃书界巨擘,吴乃篆书大师,皆吾国近代第一流俊彦。集三人之作荟于一石,品位之高,冠绝一代,故时人誉之为“三绝”。篆盖之左侧刻有于髯公跋文曰:“此盖篆就,吴苍老自矜生平第一。此志不朽，老伯不朽，皆兄之孝心所感也，其珍惜之。”

按，碑称“三绝”者，古已有之，如魏之《受禅表碑》，王朗撰文，梁鹄书，钟繇刻字，世谓“三绝碑”；金之《博州重修庙学记碑》，王去非撰文，王庭筠书，党怀英篆额，亦称“三绝碑”。而墓志之称“三绝”者，惟此石而已。

“孝衣会”

王明德

清季至民国，西安附近农村有一种互济性组织，由穷苦人家自愿结合，宗旨是集资安葬逝世的老人。因送葬时须穿白色孝衣赴会，故名“孝衣会”。据说这是承袭北宋关学人物吕大钧《吕氏乡约》的遗风(《吕氏乡约》中有“患难相恤”的条文)。笔者曾留心考察过蓝田县农村的一些“孝衣会”，各会虽然没有形成文字的章程可据，却有以下各项公认的惯例：

发起人(即会首)多为家有年迈老人，本人以孝行著称，且有办事能力者。

每个组织收会员十数人至二三十人不等。

征收会员对象为家有年迈老人的贫寒人家。若某家有两位以上老人,须说明是为其中某位老人安葬而入会。忤逆不孝者不收;偶有不孝行为,能向会首和会众诚心悔过、表示改正者,可从宽收留。

会费定额,在银、铜币流行和民国中期银、铜、纸币同时流行且兑率相当时,不同组织的会费有一元至三、五元不等,由会首召集会员共同议定。民国后期法币日益贬值,多以实物(粮食)折算。

自立会之日起,会员中有不孝行为的,会首和其他会员随时批评,或在聚会时当众批评。被批评者多能切实改过。笔者曾亲见被批评的儿子及儿媳当众向老人跪拜认错,并且表示要认真改正的。

聚会:会员中凡有入会时言定为其安葬的老人逝世,即向会首报告,由会首通知全体会员,立即按定额带足会费和纸钱、香、烛等前去吊唁。主人家给来者发孝布(白纱布)佩戴(孝衣长短,不同组织有三尺、四尺不等,但本组织内每次相同)。到埋葬死者之日,主人在招待亲友的同时,宴请全体会员。

会员安葬死者的棺材和寿衣的质量,礼仪的繁简(如是否有乐人、礼宾及僧人超度等),筵席的标准等项,由主人家根据家计情况自定,以力尽孝心为度,会首和会众一般不加干预。

全体会员的老人全部去世,办完丧事,此会

即自行结束。

这一类“孝衣会”,反映出那个时代农民经济生活水平及其道德风尚,是一种值得称道的民俗。

长安的午炮

俞少逸　丁　洁

长安有钟鼓二楼,建于明代洪武年间,是专门给全城报时用的。钟楼上有铁钟一口,鼓楼内有大鼓一面。鼓楼北面悬有“声闻于天”的巨匾。这两楼之钟鼓,现今只是象征性的陈设,至于古代如何报时,已不知其详,仅可想像“暮鼓晨钟”而已。

记得民国初年,长安报时的方式是“放午炮”。每至正午时分,轰然一声炮响,震天动地,远在十里之外,也可清晰听到,的确是“声闻于天”。

最初,放午炮的地点是在当时的长安县政府(今西安市西大街路北省文化厅招待所)的大门口。每日午时临近,县府里的专职炮手便抬出一门长二尺多,直径六七寸的铁炮,放在街心,提前几秒钟把火药引线点燃,刚到午时,便会“咚”地一声,准时发响。远近人家,可按此炮声校对钟表。一年三百六十五天,不论阴晴,从无差误。

后来,放午炮的地点,又改移至新城的城墙上,大概是为了避免影响交通,或为了在高处鸣炮声音可以传得更远。直到西安解放后,才取消了这一报时制度。

西门甜水大井

王克刚

解放前，西安没有自来水，而且城区大部分水井的地下水，或苦或咸，不堪饮用。惟有西门瓮城之内，有大井四眼，其水清彻如玉，其味甘甜爽口，人称之谓“西门甜水大井”。

这四眼大井，直径均为1.7米，深15米，水深约5米。井筒以大型城砖砌就，井上设木架井桩，每口井上安装辘轳一副，均为双条绳索上下，日夜汲水不停。无论地面上如何干旱酷热，井内水位永远不变，真可谓取之不尽、用之不竭的宝井。

当时，依靠西门甜水大井维持生活者，约有数百户人家。近者肩挑，远者车推，代代相传，以卖水为业。拉水车全为木制，正中一个大轮，两侧木架上放置水桶四个，直径一尺，高二尺，上有小孔，用以灌水倒水，又有小耳子两个，便于搬动。以后改为牲畜拉车，水桶也随之加大。

西门甜水大井旁有鞍房两间，分别供奉着“龙王爷”和“药王爷”。龙王爷是卖水人家的主神，求他保佑水源畅通；药王爷是卖水人家善心的寄托，求它保佑圣水含药，除病延年。

卖水人家有其行帮组织，家家按时交纳会

费。会费用于维修水井、添置公用设施，也用于宴请达官贵人和会员聚餐。

1952年，西安自来水厂建成，西门甜水大井才结束了它的供水使命。

泥　屐

丁　洁

每年中秋过后，直到农历九月中旬，是长安淫雨连绵的季节。一雨可以连续三四十天，长安人说这是“下淋雨”。

解放前，长安城乡的道路年久失修，雨多即成泥，行走极为不便。那时的雨具，一般是戴草帽、箬帽，或用油纸伞，很少有人穿雨衣。趟水踏泥，则有用桐油浸制成的黄色生牛皮靴，底子上钉着高帽铁钉。这种雨靴又笨又重，还必须穿着棉袜，否则容易磨伤脚踝。有的自家用布做成半尺多高的棉鞋，帮和底用桐油涂晒几遍，底子钉上高帽或扁平的铁钉，以利行走，防止滑跌。这种自制的雨鞋，叫做“油窝窝”。最有特点的，要算木制的“泥屐”了。它是用坚韧的木料，锯成鞋底式样，略带弧度，以期适足，厚约半寸，刨光后在板上凿四个长方形榫孔，下面竖立的两块木板，锯成半月形，刨光，上方各有两个雄榫头，抹上胶水，镶入鞋底式木板的榫孔中，嵌以木楔，使之牢固，即成木制泥屐。从侧面

看去像π形状,外面涂以桐油,干透即可穿用。穿的时候不必脱下便鞋,踏在上面,脚面盖一片油布,用中粗麻绳一道挨一道地把脚和泥屐捆在一起;脚后跟要预先套在泥屐后方拴好的绳套上,使脚和泥屐形成一个整体,不致松脱。初次穿着,必须练习多时,方能行走自如。这种泥屐都是男性穿用,妇女是不使用它的。成人的泥屐,下面竖立的两块木板,两端向外延伸较长,略似满弓;木板下面还钉有特制的稍尖的铁钉,避免滑跌。行走之时,两腿还要迈得稍宽一些,否则两脚屐齿相碰,极容易跌跤。因为雨久泥深,尽管走时选择道路,有时还难免连脚陷入泥水中,甚至扭伤了脚脖子。

50年代初期,在关中农村还能看到人们在雨天穿这种泥屐。

辛亥前后秦中行

张　钫

当清朝末年的时候,从河南起直到西北极边,除了邮政局的信差和电报局的电线杆以外,再也不能见到其他新时代的一切事物。道路是崎岖不平的,通行的车辆车轨宽窄是不同的,河南的车到了潼关,需要改换宽轴,等到出关向东又要换窄轴。那时称作官店的旅客住所比较洁净,但是不留住一般旅客。一般客商所住的只是客店饭馆，古时候“鸡声茅店月，人迹板桥霜”的景象依旧存在着。路的高低不平，车的颠簸还是其次，日出首途，日夕进店，日行百里。如果少走多走，都无处可以借宿，稍早稍晚都有被盗贼劫夺的可能。

人民生活方面贫富有很大的悬殊。但那时有一种不良的嗜好，却蔓延从富到贫各个阶层，不仅是富人家都摆着鸦片烟灯，穷人也并不例外。辛亥年的夏天，我从三原县经过，住在南关，因天热去到街头散步纳凉，看见街上每铺一条芦席，放两个木枕，即有二人对卧吸食鸦片。经我数过共有七百余盏烟灯，真像走进了人间地狱。

据说陕西每年烟土的收入，约3500万两银子，官商都视为利薮。人民因种烟获利胜于种米种麦，所以八百里秦川，很多地方在烟苗开花的时候几乎见不到禾苗。遭逢荒年，常到千里之外买粮，粮至而人已饿死的惨剧，也曾演过多次。共和以后，虽曾禁烟，但又不能彻底奉行。明禁暗征，经手官员均大发其财。除临交通大道不种或铲除以掩人耳目以外，偏僻田野，种植如故。据说陕西西路烟土最好，乾州白花烟与武功、岐山烟土价格高于他县。

名花易主

王增智

张宝书，西安市灞桥区洪庆镇人。曾在西安、宝鸡、兰州、迪化(今乌鲁木齐)、天津、上海诸地开设商号，并与日本、美国开展贸易。家财万贯，人呼“张百万”。

1906年，张百万在家乡修起了一座七套十四院的水磨砖砌、雕梁画栋的深宅大院。大院中有从清宫中移植的一株名为“卫矛”的珍贵花树。

此树高3米，圆形，为落叶灌木，繁茂多枝，柔条低垂，叶狭长如卵而其端尖锐。蒴果具千翅；果翅长方，分呈十字形。花期为四至五月，果熟于七八月间。成熟后，果壳裂开，内含籽粒几颗。果形奇特，且分悬于细长梗上，颇似金线悬挂若干蝴蝶，飞舞于微风之中，故又名“金线吊蝴蝶”。

此花移植张百万庄园时，已生长百余年。宫廷名花而散落富商之家，也可算是时代变迁的一个象征。

水盆羊肉

冯增烈

人们皆以西安回族之羊肉泡馍为佳馔，殊不知水盆羊肉尤见名贵。盖羊肉泡馍宜于冬季御寒滋补，如今虽常年供应，天热时便以电扇扇凉；而往昔无电扇时，夏季吃来大汗淋漓，于是水盆羊肉便代之而兴。

制作水盆羊肉，系于先一日下午将肉嫩之绵羊屠宰，连夜入锅，黎明捞出，其关键全在配料与肉味之入于原汤，然后羼水淡化，汤味尤鲜。水盆羊肉之供应时间，是趁夏日清晨天气凉爽，三小时内即可售罄。此时，将羼水之汤置于大马口铁锅中加热，待食客来时，即将肉片汆入汤中，尤以肉肥者为佳，可与新出炉之“饦饦馍”共食。此种小馍一两一个，皮酥瓤软，既可以其夹肉，同时啜品鲜汤，亦可将馍掰入汤中泡食，如再佐以鲜蒜，其味尤美。水盆羊肉以其汤在如盆之锅中加热而得名，以其汤、馍、蒜三鲜而见胜。遂与羊肉泡馍迥异其趣。

同治三年(1864)九月，镇压陕西回民起义之清廷将领多隆阿抵达西安后，曾召回绅马伯龄，责问其与钦差大臣张芾奉旨同赴渭北宣抚，何以张被回军杀害，而他却得以身免？及马氏陈明

理由说服多隆阿后，即向多进献水盆羊肉两碗，足见其以此肴之为珍也。此事乃笔者从马氏之孙、已故全国人大代表马平甫先生处闻知，亦回民起义中一小插曲。

关中农村游戏种种

樊耀亭

旧时关中农村，有不少颇富乡土气息的民间游戏流行。如“打瞎蒙”、“勾狗娃”、“打老瓮”、“轮子秋”、“打尜”(读若嘎，阴平)种种，名目既别，玩法各异，有的需用器械，有的徒手便可。或于晴日，或当雨后，田间地头，麦场院落，大人小孩，呼叫追逐，观者折腰，戏者忘形，平日烦忧，一时尽杳。其乐陶陶，其快何如?

不过细究其状，便会发现其中某些类型亦非此地所独有。如“打瞎蒙”就是流行极广的“捉迷藏”的关中室内版，与“捉迷藏”不同，它多于天雨时在室内玩。由一个人蒙了眼(“瞎蒙”)捉不断向他挑逗的几个人，蒙目和被捉者主动挑逗却是由于场地逼仄的规定性引起的变异。而“勾狗娃”则与城中幼儿园玩的“老鹰抓小鸡”毫无二致。至于“打老瓮”，笔者竟在十一届亚运会电视转播节目中发现，此种游戏与南亚流行的一种叫作“卡巴迪”的体育项目有某些相似，但不知游戏中参加者不断呼喊的“俺要俺的老瓮哩”与“卡巴迪”一词有无关联?真想向语言学家作一番请教。

惟独“轮子秋”一项倒像是地道的关中特产。其玩法如下:先在一较大的土场上,将两三个碌碡叠成一根约半人高的石柱,再找一根粗细如檩条的笔直长横木,中间置一铁眼柱,与上边碌碡的铁眼泡相吻合,在眼泡里再注入润滑油,即成此“秋”。开始耍时,两人爬于横木两端,由下边一二人推动横木,待横木开始惯性飞转时离开。由于横木较长,飞起来离心力很大,要自行旋转许久方能停下来。快时,如卷旋风。慢时,若乘云车,舒泰至极。若要玩得时间长些,一俟旋速减慢,便由下边人钻入杆底,重新加力。甚至有小伙恶作剧,将狗捆上横木,然后拼命推掀。轮子秋似喝醉了酒,疯狂旋转。常甩得狗晕吐不止,待放下时已瘫成一摊,小伙们围观大笑不止。不过,这种杂耍只宜大人耍,孩子耍时需大人严密防护,以防意外。

上列游戏种种,总体看来,无疑属于关中农村村社文化的构成部分。就其功能而言,除娱乐的作用,沟通人际关系的作用外,都明显地带有体育运动的性质,对锻炼和提高参与者的力量、勇敢、机敏、灵巧、反应、判断、准确等体能和智能,都会起到良好的作用。如果再对其源流、文化背景、地域比较、以及与现代体育的关系(譬如“打柔”和垒球)加以考察,也许会有更加有趣的发现。

长安独子发型拾趣

毋东汉

旧时长安乡俗，于独子发型颇有讲究，名其状，大略有三：

一曰马鬃头。额头留长方形一块头发垂至额前，形同女性的留海儿。这种发型，具有保护囟门，减少受凉感冒等作用，大部分头皮剃掉头发，又有清凉作用，防头火上升。但此种发型亦为多数男孩所用，非独子专有。

二曰笼系头。额前留有留海式马鬃头，脑后也留有一撮头发，形似雀尾，头顶又有从前至后的一绺头发，前连留海，后连雀尾，俗称担笼系，在耳朵后边又留一小撮头发，名叫“气死毛”。娇惯成性的宝贝万一哭得闭了气，扯一扯“气死毛”，可望复活苏醒，缓过气来。

三曰连毛头。所谓“连毛”，即所有头发从生下来起一根不剃，从脑后辫起来，辫子长长地拖在脑后。采用这种发型的孩子，往往是兄姊夭亡或胎死后得以幸存者。父母连名字也怕给起，干脆称为“连毛”，如姓张就叫“张连毛”，姓李就叫“李连毛”，免得“小鬼查户口”。

留有马鬃头、笼系头，尤其是连毛头的孩子，像捧着“独生子女证”，人们一看便知。好心的乡亲们和教书先生,对他们也是另眼相看,该打时骂一声,该骂时瞪一眼,该瞪时笑一笑也就算了。

花　　会

项宗沛

解放前,浙江临海一带“花会”流行。倘若你顾名思义,认为是花卉展览会,那就大错而特错了。它是一种类似押宝的赌博名称。“花”指花名册,开列有“皇帝林太平”、“女将马上招”、“渔人翁有利”、“尼姑陈安士”等三十四个人名。其作用与古代赌具上的“卢”、“雉”相似。“会”指众人聚会从事猜赌的活动。除受理大宗赌注的总会外,全城尚有数以百计受理小宗赌注的分会。不论富室贫家,大多沉溺其中,终日里心猿意马,忧喜无常,忙乱地编织着赢钱、发财的美梦。

总会又称会筒,是花名的揭晓处。负责出花名者,称曰筒官。筒官出何花名,不仅事前求神礼佛,小心翼翼,而且清规戒律亦多。譬如说,筒官于就寝前原已出定次日花名为“林太平”,但如在睡眠中梦见尼姑,那就可能改出“陈安士”;如在行走中跌跤,则认为不吉利,亦会改出其他花名(俗称“换签”)。

筒官出定花名后,将它包在布卷中,高高挂起。待赶筒者云集,放筒时辰一到,即将布卷自上

而下徐徐展开,逐字露出花名。押中者欢声雷动;未押中者丧气叹息。筒官体察当场情势,如感大赔钱已成定局,会顿时脸色煞白,甚至昏厥过去。

所有押花会的人,也当然会使出浑身解数去猜测该押什么花名。试举数例:一曰扶乩。请来两个巫师,手执一丁字形木架称曰乩头,口中念念有词,接着在沙盘上写出诗文来,根据诗文内容来猜断。玄就玄在一般人都深信二巫师俱不识字,文盲竟能写出诗文,岂非神佛显灵?二曰点红。将花名纸放在花树根或厕所等处,旁置一内盛朱砂的小碟子和一根通草,凭花树神或“茅坑娘子”等来点红,看点在什么花名上。某次,我见纸上红点狼藉,便说是老鼠爬过。母亲斥我胡说,但还是押了号称老鼠精的花名程必得,居然碰巧押中了,于是夸我有灵性,也更相信确有神助了。三曰碰兆头。凭押花会前所遭遇的征兆来下注。听说某猎人进深山打猎,被野猪咬伤,傍晚归家后,不顾腿上鲜血淋漓,大声疾呼:“明天花会押宋正顺!”因为据说宋正顺系野猪精投生。此外,亦有凭向神佛求签、圆梦等等。总而言之,是集迷信之大成,“不问苍生问鬼神”。

在当地解放初期,解放军曾问这是什么玩艺儿,有人竟回答说是锻炼人们智力的猜谜游戏。当然,时隔不久,真相渐白,这种挂着美丽名字的玩艺儿,终于被彻底禁止了。

长安花神会

黄云兴

长安自清末以至民国十五年(1926)镇嵩军围困西安城前,每逢农历九月,举办"花神会",历时月余,颇具盛况。

长安花神会地址在西安东关长乐坊, 即今之碑林区长乐坊东段。这一地区原为唐宫遗址,庵庙林立,计有景龙池北口之"老母楼"(即原唐宫"牡丹亭")、"万灵庵"、"老爷庙"(关帝庙)、"药王洞"(药王庙)、"城隍庙"、"娘娘庙"。解放后,除"老母楼"至今犹存外,其他庙院均已建为商场、工厂和民房。花神庙据传即"娘娘庙",位于现市三中西邻,中间仅隔"老爷庙",西边毗连"药王洞",坐北朝南,面积约一亩多地。

西安东关,解放前为四关之首,文化经济较为发达,居民半城半乡,半商半农。沿廓城(土城)一带农户,远袭唐宫御院遗风,多辟地建园种植花木,至清末民初犹有大大小小不少花园,其规模较大者有朱、安、戎、杨等家。

民国建立后,长安县政府将东关"娘娘庙"辟为"花木试验场",由几家大花园联合管理,在庙院内广植名花异草。阳春三月,牡丹、月季、芍药、玫瑰盛开,姹紫嫣红,前往观花者,不绝于途。

花神会于每年九月举办，以赏菊为主，除园内培植名品外，各大花园均将其名贵菊花送至园中供展，私人养菊者亦竞送佳品，争相斗奇。菊展开始，试验场“首事”发帖邀请文人雅士集会，在神龛前摆设供礼，红烛高燃、香烟缭绕、鞭炮齐鸣，参加者齐向花神拜大礼，由耆宿撰文祷告花神，祈佑苑事日盛。据先辈老人云，耆宿菊坞宋联奎先生酷爱菊花，每到花神会期，必应邀撰词祝告：“国泰民安，花木永盛。”

礼成后，开始赏花。仕女纷至沓来，园为之塞。有偕友赋诗吟咏者，有临摹作画者，可谓雅俗共赏，盛极一时。所惜好景不长，民国十五年(1926)，刘镇华围城后，这一试验场竟遭兵燹，园事荒芜，“花神会”从此告止。接着陕西三年大旱，瘟疫流行，时人遑遑求存，安有闲情逸致旁及花事。其后冯玉祥、宋哲元主陕，修建革命公园及民乐园，花神庙左右之“老爷庙”、“药王洞”之殿宇悉被拆毁，庙址均成为民房。

时隔六十余年，至今忆及“花木试验场”楣额两旁砖镌“江山千古秀，花木四时新”对联(系书法家李岳秀所写)，犹历历在目，令人不胜叹惋。

红缰绳

樊耀亭

建国前关中农村幼童脖子上均系一红缰绳，以祈长命百岁。此红缰绳系以新裤带乞换村中高寿老人所勒之旧裤带作内芯，外面再用红布缘裹，密针细线缝制而成。形状颇似骡马之项套。其下两端，千针万线紧锁，以表拴牢之意。乡村中，妇女如头胎小孩夭折，则为确保以后孩子牢靠，常采用移窝、认干爸、干妈等法，或给孩子取马娃、猪娃、骡驹等名贱之。戴缰绳与此义同。至于外面缘裹大红布，一则美观，二则认为红能辟邪。此外有的还给红缰绳下边饰以八卦或廿四象铜钱，那不外乎是想多一件镇物，好多一份吉祥如意罢了。

《中华全国风俗志》载："南人生儿女，用金线或丝絛作锁索，西土(陕西)则竟以铁索索之，若囚徒然。"系红缰绳已较系铁索稍进一步了。

敬惜字纸

黄云兴

吾国北方，自古以来即有敬惜字纸之风。直至本世纪三四十年代，仍时见城乡道旁贴有“敬惜字纸，善莫大焉”之红色纸条。张贴者多为庵观道士、佛门居士。耆老云“文字乃圣人创造，人人皆当敬惜。文人渎污字纸，文曲星降罪，则进学无门，考试不第；常人渎污字纸，则瞽目变愚。拣拾者，功德无量，增福添寿。”爰此，路人见有纸屑，辄俯而拾之，随手塞入土墙缝隙中，方觉欣愉。各庵观道院每日派出当值道人，持钉竿，挑竹筐，走街串巷收拣字纸，并将路人塞于墙缝之纸掏出，纳于筐中，投炉焚化。西安八仙庵、文昌庙均设有铁炉，街头巷尾则设砖炉，以便随时焚化。

敬惜字纸，其深意在于尊重文字，且亦有益于环境卫生。

鹌鹑土地

罗　汉

旧时,民间村镇多有土地庙,供奉着“土地爷爷”和“土地奶奶”,庙门上写着“一方土地”之类的横额。笔者幼时,在今豫陕交界的西峡县蒲塘村头,却见过一座与别处大不相同的土地庙。庙内并无土地奶奶,只供着一个土地老儿。那老儿穿墨绿便袍,戴紫色软帽,踏薄底黑靴,缠蓝色腰带,腰间别着一个鹌鹑袋儿,平坐在一块青条石上。他左腿平伸,右腿微曲,身旁斜倚着一根拐杖,面容清瘦,隆鼻广额,颔下苍白胡须,系用马尾装成,有风吹来,尚自微微飘动。右手齐胸平摊,把着一只鹌鹑,他正目光炯炯凝视着这只鹌鹑,形象颇为生动。庙门的横额上直书“鹌鹑土地”四字,两旁的对联是:“红眉紫眼三千嘴,能咬善斗两条腿。”意思是说,红眉毛、紫眼睛的鹌鹑乃是上品,能咬斗三千嘴以上,而观察鹌鹑是否善斗,要看它的两腿是否有劲。

原来这个村庄地处山区,文化生活贫乏,故有斗鹌鹑的习俗。这斗鹌鹑,不像斗牛、斗羊、斗鸡那样,需要大的场地,只在室内方桌上置一“鹌鹑圈儿”,就是斗鹑的战场了。圈用竹篾编成,径二尺有余,高七八寸,内外糊以白纸,只要

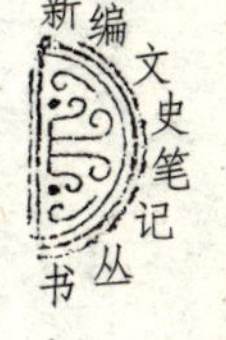

将两只鹌鹑放进圈内，便相互爪蹬嘴啄地斗将起来，咬斗千嘴以上，始分胜负。平日斗鹑，十之八九是训练性质的，并不决出胜负。所以在斗到七八百嘴时，主人就撒一把小米于圈内，用手隔开正在咬斗的鹌鹑，待它们各自啄食一些小米后，就捉起来。每次斗鹌鹑，围观者达数十人，都神情专注，屏气息声，惟恐惊了鹌鹑。待鹑主捉了鹌鹑后，气氛就热烈起来。由于胜负未决，大家便品评议论，往往争得面红耳赤。

这个村庄的斗鹑之风，经久不衰，所以村民虔诚地侍奉鹌鹑土地，香火十分兴旺。

闲话“自乐班”

俞少逸　丁　洁

旧时长安城乡，“自乐班”甚多。爱好戏曲者，十人八人，有暇则自携乐器，相聚以自娱。虽有“班”之名，而无固定之组织，自愿组合，闲聚忙散。聚会之时，不着剧装，不敷朱粉，弦索悠扬，声韵绕梁。所唱多为秦腔，亦有眉户、碗碗腔或汉调二簧。演唱之时，男女老幼，围观助兴，又变“自乐”为“同乐”矣。

1945 年至 1948 年间，西安城内有一“自乐班”，其参加者身份颇不寻常。由辛亥革命元老、原陕西第一任都督张凤翙，原北京政府农商部长寇遐，陕西金融界名流薛德中、曾顺恭等人组成了一个“自乐班”，取名为“秦剧研究会”，于投闲置散中聊以遣兴。

一夕，唱罢小憩。张凤翙将鼓槌斜插于颈上衣领间，谈笑饮茶；寇遐则与人继续推敲戏曲文字之音韵：“帝王的‘王’字应读作‘汪’，如‘老汪晏驾’方有味道；若唱作阴平，则类于呼拉包车之‘老王’矣……”众人借题发挥，或论板眼，或论唱腔。此情此景，仿佛韩熙载之夜宴，实则韬光隐晦之举，屈伸隐显，随时势而转移也。

两地观剧随笔

项宗沛

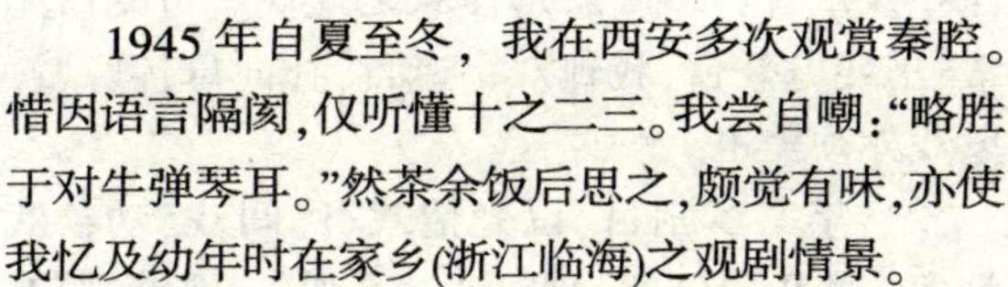
1945年自夏至冬，我在西安多次观赏秦腔。惜因语言隔阂，仅听懂十之二三。我尝自嘲：“略胜于对牛弹琴耳。”然茶余饭后思之，颇觉有味，亦使我忆及幼年时在家乡(浙江临海)之观剧情景。

当年家乡戏台，位于寺庙内者称“庙台”；临时搭于街头者称“野台”。台皆三面临观众。观众以站立观看为主，出入自由。周围卖吃食小摊甚多，吆喝之声，此起彼落，观者恍若置身于熙熙攘攘之集市中。亦有专为看人或欲人看之而莅场者，盖醉翁之意不在酒也。西安观剧，则在座位齐整而俨如大木笼之戏园子内。观剧之环境已改善，喧闹之气氛已减弱，然而昔时露天观剧之情趣、野趣尽失矣。

幼年时家乡演出，开场锣鼓后例有“三跳”。跳“白面”以示天官赐福，跳“金面”以示招财进宝，跳“魁星”以示金榜题名。扮演天官、财神、魁星之演员，分别戴着白色官脸、金色笑脸、蓝色鬼脸之面具，作哑剧式舞蹈，并向观众展示写有吉利颂词之条幅。逢有官员进场，则跳“加官”祝其一定高升。斯时鞭炮齐鸣，红包上台，煞是热闹。西安舞台上则未见此类彩头花色，或系易俗社之移风易俗所致也。

在西安所观秦腔剧目，多属宫廷戏、忠奸戏，音调激越，动作粗犷，犹如关西大汉引吭高歌“大江东去”，惟有时亦失诸粗野。我曾亲见一孩童因台上花脸一声吼叫而吓得哇哇大哭。想必是未曾经受锻炼之南方小儿也。家乡戏台上惊吓孩童者，多属恶形怪状之鬼戏。每见白无常、吊死鬼登台，我辄双手遮目，扑向母怀躲避。鬼戏亦须美也。

当年家乡剧目，以爱情戏、民间戏、劝善戏为多。虽“的笃班”、“高腔”、“乱弹”、“滩簧”等戏种有别，然大体言之，调性缠绵，委婉动人，犹如二八丫头款款低吟“杨柳岸晓风残月”。北调南腔，刚柔异性，殆乃三秦之劲气，吴越之清风使然耶?好在我这个南蛮子并不偏爱柔声细气，倒觉秦腔之戏骨硬而气势壮，耐人咀嚼。

党晴梵诗纪事本末

陈泽秦

党晴梵先生遗诗《感事》四首，其三盖咏先严伯生公旅川北事也。其词云：

愁心偶忆剑南路，倦眼遥看滟滪堆。
杨柳迎风偏北向，锦帆今日又西来。
蛮争蜗触成何事，豆煮萁燃剧可哀。
汉武一军归不得，也应惆怅望乡台。

民国十年(1921)，直皖战争，直胜皖败。政局变更，先公退驻汉南，转地川北。阎相文主陕，冯玉祥不匝月即诱杀郭坚于西关大营洗尘筵上，胡富平(景翼)亦险遭不测。时晴梵先生及马凌甫姻丈皆任郭幕僚。渭北西府所希冀于东道者，悉成泡影。秦人无党，且宁为玉碎，不为瓦全，负固自雄，意气用事，操戈萧墙，引狼入室，卒至两败。豆煮其燃之叹，于事何补!?“杨柳”句，殆指靖国易帜，时局仍为北方势力所左右也。

先生既为郭坚幕僚，事必有以记之，故其《潼关·次前韵》作：“十年烽火暗秦关，关上何人堕泪看。郭解羞张铜马帜，陈余恰似沐猴冠。当场活剧情必现，劫后死灰燃更难。剩有流亡八百万，可怜满目尽饥寒。”张丹屏老伯曾语余：伊尝同郭坚奉命援甘，甘肃督军陆洪涛遣部属设宴洗尘。席次，郭高踞椅上，自指其鼻，向人介绍：“毛贼郭坚。”是岂“羞张铜马帜”者?又，师子敬老伯言，郭尝屏侍从，顾谓张东白前辈曰：子谓我何许人?东白前辈执水烟袋，徘徊室内久之，始答以“真贼！”二字，郭坚不以为忤。郭自有过人处。

摊派春联

涂克勤

民国三十二年(1943)春节，熊斌主陕已届两年，为装点一时偏安的太平景象，倡议在陕名人书写春联多幅，油墨印刷，分赠百姓，以示与民同乐。

分赠春联，由警察经办。讵料经办者敛财有术，送春联时竟以“工本费”、“喜钱”等名义，每副索取法币六元，时值面粉一袋。送者坐索款项，形同年关逼债。西安城内，顿时怨声四起。街上流行一首顺口溜："卅二元旦过新年，警察到处贴春联。上有熊斌两个字，原来只为六块钱。"

得此结局，固非熊斌本意，然于贪渎成风中，亦势之所必至。此诚足以为后世鉴者。

王老九的第一首诗

山　川

农民诗人王老九的第一首诗作，与他丈人有关。

老九的丈人姓李，是临潼县颇有名气的画匠。骊山下的庙宇，凡神像的重塑，壁画的新描，都离不开李画匠之手。老汉有三个女婿：大女婿是一所小学校的校长，二女婿为药铺郎中，三女婿便是王老九——一个地地道道的庄稼汉。

1925 年的一天，王老九给丈人贺寿归来，一路上妻子唠唠叨叨地责怪他说："都怪我命不好，嫁了你这个'黑脊背'，要钱没钱，要势没势，害得我在娘家门上抬不起头，说不起话……"

王老九再没吭声，脑子里思绪翻腾，没走完三里路，不知怎的竟然编出一段顺口溜，便对妻子说："再甭难过。不怪天，不怪地，只怪财神爷瞎了眼窝，不认咱家门嘛。我要美美地骂他几

句,也给你开开心。"接着念道:

贺大寿,拜丈人,
老九手里无分文,
美酒糕点全没送,
媳妇一路怨连声。
娃他妈,气放平,
要骂你就骂财神,
瞎了眼,偏了心,
为啥不进老九门。
年年月月将你敬,
月月年年我受贫,
嫌贫爱富理不正,
害得老九落骂名。

这是王老九的第一首诗作,时间在 1925 年春夏之交,那年他三十二岁。

景梅九赋诗赠朱德

李光白

1938 年 8 月 25 日，抗日战争正进入高潮，第二战区副司令长官、八路军总司令朱德将军，从太行山前线返回延安。途经西安时,杨明轩先生为表示热烈慰问和犒劳，特在莲湖公园设宴欢迎,并请八路军西安办事处领导人林伯渠、辛亥革命元老景梅九及陕西名流武念堂、戴铭九、刘文伯、韩望尘、党晴梵等先生奉陪。景梅九先生即席赋诗四首赠朱德将军。其一曰："百战归来意态闲，当筵说笑露欢颜；迂回周转八千里，干羽而今驻历山。"其次曰："自领雄师出旧关，战袍犹染血斓斑。会当痛饮黄龙府，莫遣倭寇匹马还。"其三曰："得赢得胜凯歌旋，二德将军应预言。伫看中原传檄定，军旗高矗太行巅。"其末首曰："传闻后羿射骄阳，千载屯留日色凉。再试当年霹雳手，一轮遥指落扶桑。"党晴梵先生亦有截句曰："仓皇一夕弃平津，清宛居庸尽战云。赖有平型关外捷，罗丝欲绣朱将军。"这些诗于宴会后的第三天即8月28日发表于当时西安《国风日报》"十字街头"副刊，对朱德将军指挥若定，八路军浴血抗战的钦敬与颂扬，跃然纸上，在延安、西安人士中曾传诵一时。今虽事过五十余年，谈之犹令人振奋不已。

一首反对内战的好诗

郗　琳

1944年冬，国民政府发动了十万知识青年从军运动，我任教的大荔中学也有一二十名学生报名应征。当时抗日战争已经进入最后阶段，这次特殊的征兵运动仍然是在神圣抗战的名义下堂而皇之地进行的。国家兴亡匹夫有责，为了争取最后胜利，血性男子岂能无动于衷，何况还可以为自己的村子抵上一个壮丁名额，并领取一份大约折合二十石小麦的“身价”？他们中间有谁能想到，曾几何时，自己竟会被人送到新的内战前线去作无谓的牺牲。

当然，那时社会上也不乏能洞察形势的有心人。一位校外的兼课教师就曾让我看过一首这样的诗：

十万青年十万军，十万白骨十万魂；
十万红颜春闺梦，十万父老依闾人。

写得多么深刻而又明白如话。原诗作者不详，是否曾经广为流传，从而对当事者起过发聋震聩的作用，当时也没注意去了解。不过，让我看诗的朋友本人，竟是一位在“八区专署”兼任视导的“华同师管区”的军法官。单凭这一点就足以说明，这场知识青年从军的悲剧之不得人心，以及国民党统治的众叛亲离已经到了什么地步了。

这首反对内战的好诗应当记入史册。

领袖会书圣

肖省三

1945 年 8 月 28 日，毛泽东、周恩来率中共代表团赴重庆与蒋介石进行“和平谈判”期间，曾与王炳南等人专程登门拜访于右任。于在谈话中，对毛泽东的雄才大略，极为推崇。两人评时事，说诗文，谈及毛泽东《沁园春》结句“数风流人物，还看今朝”，于叹服很有气势。毛泽东笑答：“何若‘大王问我，几时收复山河’发人深思!”

原来，于右任于1941年谒成吉思汗墓时，写有《谒成陵》小令一首。曰：“兴隆山畔高歌，曾瞻无敌金戈。遗诏焚香读过，大王问我，几时收复山河！”

会见中，于右任明确表示反对内战，赞成和平，支持国共再次合作。毛泽东、周恩来盛赞于右任为“有识之士”。

一副对联驱走贪官

晋震梵

民国初年，刘镇华任陕西省长兼督军，委其师路大遵任洛南县长。该路在洛南大肆搜刮，贪墨无度。百姓与地方士绅屡次到省上告状，终因刘镇华庇护而路的好官长做。西安名公某遂投文《新秦日报》，文为一联，上联为“大道生财，财连银汉三千丈”，下联是“遵古炮制，制死黎民百万家”，横额是“路断人稀”。此联发表后，没出三天，刘镇华就把路请回西安了。

张凤翙自寿联

王大平

辛亥武昌举义，在陕新军首应。张凤翙以标(团)参谋长兼管带(营长)职，谋划其事，指挥若定，厥功甚伟，遂膺第一任陕西督军，成为地方风云人物。1914 年离任赴京，入“将军府”，领“扬威将军”衔，实权告失。后居京华十余年，与新旧文人樊樊山、宋伯鲁、徐志摩或相唱和，一时灿烂，遂趋平淡。抗战前离京回陕，仍居西安张府旧邸。

1940 年，张凤翙六十大寿，庆典自是盛事。斯时冠盖盈门，寿帐盈庭，张尤赏周伯敏(于右任外甥)所赠条幅一帧：“年年今朝岳降辰，谁人不识故将军，当年起义真元老，于今平居是福人……”笔意流畅，寄寓深远，张悬于堂中，吟诵不辍，似颇能道中满怀心事者。忽而意兴飞动、笔走龙蛇，制《水调歌头》两阕，有断章云：“人生欲何为？搔首问青天。皇天胡为生我，龙蛇起陆年。”豪歌兼浩叹而情犹未已。复集春联寿联于一意，自撰自书，高张门庭。其联曰：

少年头等闲白了，三十功名尘与土，思与鹏举；

阳春脚大步来兮，百二河山壮且雄，岁又龙躔。

上联取岳飞《满江红》入意，回首前尘，感慨功名。“思与鹏举”，就字面看，作者浮想联翩，若大鹏之举翼。而“鹏举”正是岳飞的表字，作者平生仰慕岳武穆，思与鹏举，暗示着平生寄托与烈士暮年的壮心，也贴合抗战中兴的时代氛围。至于词与联中所及“龙蛇”、“龙躔”诸语，乃因张生于光绪六年(1880)，岁次庚辰，生肖在龙，于今六十华诞，是一甲子，又当庚辰，龙生龙始，周而复至，故谓“龙躔”。以之入联，气象自显壮观。

张善诗工书，儒雅饱学，非寻常武人所可囿。于自寿联中，或可窥见一斑。

祝绍周“满载而归”

张仲平

1944年夏，国民党陕西省政府主席祝绍周上台，明里惩治贪污，实则贪赃枉法。祝下台后，群众写了一副讽刺性的对联：

三三四四七七（指祝是民国三十三年，公元1944年7月7日上台）

千千万万亿亿（指祝开始贪污千元，后上升到万元、亿元）

横额是：

满载而归。

戒吸烟毒对联

晋震梵

鸦片传入中国后，对国家、对人民的危害是无法估计的。有识之士无不为之痛心。抗日战争初期，鸦片烟仍然公开买卖，并且设有官膏局。有人仿大观楼长联拟就了一副嘲讽瘾君子，规劝戒烟的长联：

五百两烟泥赊来手里，价廉货净，喜洋洋兴趣无穷，看粤夸黑土，楚重红酿，黔尚青山，滇崇白水，估成辨色，不妨请客闲评，趁火旺炉燃，煮就了鱼泡蟹眼，正更长夜永，安排些雪藕冰桃，莫辜负四棱烟斗，万字香盘，九节老枪，三镶玉嘴；

数千金家产忘却心头，瘾发神疲，叹滚滚钱财何用，想名类巴菰，膏珍福寿，种传罂粟，花号芙蓉，横枕开灯，足尽平生乐事，尽朝吹暮吸，那怕它日烈潮寒，纵妻怨儿啼，都装作天聋地哑，只剩得几寸囚毛，半边肩膀，二行涕泪，一副骨骸。

这副长联将吸毒者的神态刻画无遗，当时很传唱了一阵。还有一联说鸦片的害处，尤见痛切：

一根竹枪，杀死英雄豪杰不见血。

半盏孤灯，烧尽高楼大厦难寻灰。

李莲英西安卖官

晋震梵

1900年庚子之乱，八国联军进北京，慈禧逃难西安。地方官极力供奉，至民穷财尽，而太后意犹未尽，仍搜求不止，卖官鬻爵，贿赂公行。太监李莲英居间剥削，所获甚巨。为收藏及运转方便，李拟将所得金银，熔铸成块成锭，而当时西安能完成此项工作者，只有少数几家较大的金银作坊，先祖父经营的“永成金店”也在其数。一个平常商家，对于权势赫赫的大总管敢不恭敬从命，先祖父的“当差”使李莲英颇感满意。第二年，辛丑条约立，慈禧等将回北京，李莲英思有以酬赏，便问先祖父有无为儿孙辈谋取前程意？如愿，可以最低价向户部购取“告身”。先祖父原来弃儒经商，仕宦之心岂能遽忘，遂以千两纹银为先父购得甘肃皋兰实缺知县官告身一份，又以五百两纹银为自己购得一顶京官的虚衔。当时先父年未及冠，不曾到任。未几，清王朝覆灭，所持价值千金的“告身”遂成一张废纸。

景梅九戏解“憲”字

李光白

康有为、梁启超戊戌变法失败后逃亡国外，光绪二十五年(1899)成立保皇会，光绪三十三年(1907)又改名国民宪政会，大肆活动，以迎合清廷的“预备立宪”。一次，梁启超在日本东京锦辉馆举行的政闻社成立大会上公开讲演，为其君主立宪主张辩护，刚一开口，就被同盟会成员景梅九、宋教仁、张继等一阵子麻鞋等物掷中左颊，乃不得不抱头逃窜。景梅九并未就此罢休，又在《晋乘》上戏解“憲”字。说“憲”是一个象形兼会意字：“宀”像红顶，“丰”像花翎，“四”为横目，即眼睛；与“心”字合在一起，就是说“立宪派的心儿眼儿都在红顶花翎上”。“憲”是“宪”的繁体。红顶花翎是清廷高级官僚的顶戴服饰。景梅九的这一戏解道尽了君主立宪派的心态。

阎锡山不值一文

李光白

景梅九与阎锡山是山西同乡，辛亥革命前两人同在日本留学,都参加了同盟会。辛亥革命后袁世凯篡夺民国大权，阎锡山因拥袁称帝而封侯。景梅九则联络续范亭、邓宝珊、李岐山等在陕西白水曹俊夫家歃盟草檄,积极讨袁,与孙中山、李烈钧、唐继尧南北呼应。由此,阎视景为眼中钉,曾悬赏一万元下令通缉。景闻知后也登报声明,有携阎锡山首级来见者,将奖给半文麻钱。有人问景,阎锡山用一万元的赏额通缉你,而你只用半文麻钱求购他的首级,这是为什么?景梅九的回答是:“阎锡山的品行不值一文,故余仅以半文悬赏。”

我是第一次世界大战的出国兵

黄月村 稿　纪忠仁 整理

第一次世界大战,同盟国与协约国交战不休,1917 年俄国发生了十月社会主义革命,应白俄的邀请,北京政府立即组织出国兵赴俄参战。记得组建时是一个整编团,大约三四千人,编为陆军支队(实不满一个旅的兵力)。陆军支队是以步兵为主,骑兵、炮兵、机枪连等混编的部队。1918 年我们这支队伍从北京永定门上了火车一直开到奉天,转南满铁路到达长春,又转车到哈尔滨,步行到绥芬河,出了国界,进入俄国境内,乘火车到依玛河车站。这时经过十月革命,俄罗斯苏维埃社会主义共和国成立,世界大战已进入尾声,但参加协约国方面的日本军队仍在俄国驻扎。因此,北京政府派出的这支陆军支队便归日本在俄的联军总司令部指挥,一同帮白俄打苏俄。

战争归战争, 可笑的是我们这支出国兵早已同苏俄通了气,凡中国驻防区红军不打,凡有中国国旗飘扬的地方红军退让,即便有枪声,也都是朝天鸣放。

1919 年巴黎和会后,我们这支部队回国。来去不到两年,所谓“出国作战”不过如此而已。

刘镇华“剿匪”

葛晋卿

民国年间,陕西匪患猖獗。大荔、朝邑、平民三县边缘地区的黄河滩一带,宽广数百里,是土匪出没之地。他们打家劫舍,闹得百姓苦不堪言。

当时刘镇华驻军陕西，曾多次派兵“剿匪”，但土匪愈“剿”愈多，匪患愈“剿”愈烈。原来官军和土匪早已暗中勾结。所谓“进剿”，只是双方进行一次肮脏的交易而已。每次行动之前，双方都把时间、地点定好，各项条件商妥，然后官军按时出发，直抵黄河滩的芦苇深处。这时，双方一同朝天鸣枪，听起来真像一场激战开始。就在这激烈的枪声中，一场交易开始进行。官军供给土匪的主要是弹药，土匪给官军的则是鸦片烟土。交换结束，枪声也逐渐稀落。这时，土匪便交出几名被捆绑的无辜贫民，作为官军的“俘虏”。于是官军“胜利凯旋”，接着是邀功请赏。

王陆一与胡汉民的文字因缘

郭亚雄

王陆一生于巴山蜀水，长于关中沃野。1919年，陕西靖国军起，王以年仅二十一岁之青年，追随于右任转战于渭水之滨，凡军中紧急文书，倚马提笔，迅即成章，知之者均叹为奇才。

1928年，南京国民政府决定迁葬孙中山灵榇至南京紫金山，隆重举行奉安大典。国民党中央向全国征集《总理奉安哀词》，应征者有数百人。经征集委员会严格审阅，确定胡汉民、王陆一之作为上选；但为了尊重胡氏元老地位，决定将胡、王所作两篇同时送请胡汉民最后裁定。胡阅王作后赞赏不已，于是推荐王作为奉安大典的正式哀词。全国各大报竞相在头版刊登此文。王陆一遂知名海内，时年仅三十岁。从此，胡氏对王颇为器重，王亦深感胡氏奖掖后进之盛情。

1931年，蒋、胡不合，胡一度被软禁于南京汤山，后又获释，在陈济棠、李宗仁等和西山会议派支持下，到广州另组国民党西南执行部，且决定派兵北上，与蒋介石南京政府对抗，战争有一触即发之势。南京国民政府决定派以张继为首的代表团前往广州，王陆一作为于右任的代表，以团员身份随行。他通过与胡汉民的私交与两广各界人士进行了广泛接触联系，对消弭这次国民党内部的权力之争，推动其和平解决，发挥了一定的作用。

王、胡友谊是五十多年前王陆一的秘书林祖慰告诉我的，至今记忆深刻。王氏遗作有《长勿相忘诗词集》，我曾珍重保存，但可惜几经动乱，终于遗失。

樊粹庭赶走“庄王爷”

云　泽

河南旧戏班历来都供奉“戏神”，称为“庄王爷”。戏班每有重大事项，班主请出“庄王爷”，施行号令和惩罚。但并不常设神像或牌位,代表者为“彩娃”,即舞台所用之道具婴儿,是物乃一有木雕脑袋的布娃娃。传说指其为唐庄王,庄王其谁,史无可考。或谓为唐明皇,或谓为后唐庄宗。总之是一种用以象征权威的偶像崇拜。

樊粹庭先生于1934年创办豫声剧院于开封(时年二十八岁),厉行改革。当他得知有这位戏神,便召集全体在后台宣布:“什么是庄王爷?庄王爷管你们吃,管你们喝了?我管!我就是你们的庄王爷!以后取消!”从此,豫声剧团再也不信也不供这位神灵。“樊戏”在河南走红,许多戏班皆演樊戏并学豫声而营业大振。于是纷纷取消庄王爷。戏神在河南之被捐出戏班,大抵由此始。

蒋介石视察南院门

高　泽

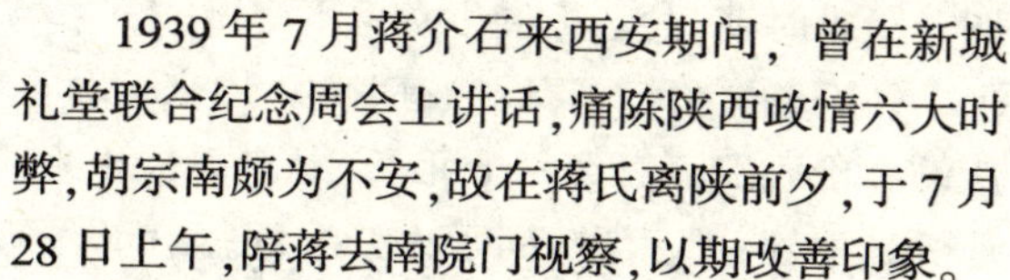

1939年7月蒋介石来西安期间,曾在新城礼堂联合纪念周会上讲话,痛陈陕西政情六大时弊,胡宗南颇为不安,故在蒋氏离陕前夕,于7月28日上午,陪蒋去南院门视察,以期改善印象。

南院门当时是西安商贾云集的闹市。有一段拉洋片唱词形容这里是:“南院门赛上海,商行林立一条街。三友公司卖绸缎,美孚石油独家来垄断,金店银号老凤祥,穿鞋戴帽鸿安祥。亨得利卖钟表,'世界'、'五洲'是西药房……"蒋氏视察之日,往日人群熙攘的南院门突然变得街静人稀。大芳兄弟摄影室的橱窗,新换上了三尺高的蒋委员长肖像。各店行的老板都亲自站柜台迎宾服务。十时许,蒋氏身着米黄色双绉长袍,头戴巴拿马草帽,悠然来到老凤祥金店。胡宗南则着藏青色中山装,紧步其后。老凤祥经理俞国源急趋迎上。俞老板的一口浙江乡音,吸引了蒋氏的注意,于是住步问道:"老板是哪个县的?""也是宁波。"蒋氏和颜悦色地说:"你们宁波俞家,在欧美华侨当中,鼎鼎有名!"他把目光落在一枚明代宫廷首饰"钗朵"上,顺口问道:"西安黄金什么价?"侍立于蒋氏之后的胡宗南,立即神速地竖起右手食指和中指,随又弯成钩形。俞老板心领神会,便回答道:"二百九(其实,西安黄金价格此时已涨至每两四百元左右),胡长官把西安的物价治理得很平稳。"随后又趁机讲起"钗朵"的来历:"这是稀世珍物。先生要是送给夫人……"话尚未完,蒋氏即摆手制止:"谢谢。国难时期,俞老板的生意也不好做!"

西安的金价,对蒋氏颇有触动。原来这时重庆的金价已涨到三百六十元了。从老凤祥出来,他又这家出,那家进,问了火柴又问盐,问了石油又问布。石油已涨成一元二三一斤,但仅被报成七角。

离开南院门时,蒋氏夸奖道:"寿山(胡宗南的字),全国找不出第二个像西安物价这么低的城市，我很满意。”胡宗南挺身立正，朗声回答：“谢谢校长栽培。”

当时，我正要去南院门，而被军警阻于附近的车家巷口。事后，店员们把蒋氏视察的实况悄声传了出来，西安群众都窃窃私语，愤然喟叹。

指鹿为马，粉饰太平，历来是一代王朝衰败的重要征兆。十年后，蒋氏统治的崩溃，其实早已于此显示端倪。

胡宗南用人见解

刘钊铭

一般人认为胡宗南用人的标准是：黄、陆、浙、一、外，还有人加上一个“七”字。黄，就是黄埔军校；陆，就是陆军大学；浙，就是浙江籍；一，就是第一师老干部；外，就是出国留学生；七，就是中央军校七分校干部。其实，胡宗南对浙江人的印象并不怎样，所以在他任集团军总司令时，包括兵团司令，整编军长，没有一个浙江人。

1942年时，有一次，胡要我从七分校遴选四个团长。我选了四名浙江籍的大队长，并当面把四个人的简历表呈给他。他看过后，皱皱眉头，没有吭声，过了一会儿才说：“你再考虑考虑，可以多选几个，等几天再给我好了。”说毕将原件交给我。接着，我们一面散步，一面谈话。胡说：“我们

浙江省的地理环境得天独厚,生活容易,而且舒适安逸,人民养成好逸恶劳的习惯,因而缺乏毅力,无吃苦耐劳的精神。今天大敌当前,作为一个军事干部,固然首先需要的是丰富硕满的军事学识,有高瞻远瞩的政治战略见解,但除此之外,还需要具备有一定的冲劲。所以不是光需要文质彬彬、云淡风清的文人学士,也需要像黑旋风李逵、花和尚鲁智深那样的一些闯将。”

他滔滔不绝地同我讲了有三十分钟左右的话,最后我报告说:俞济时有个电报来说,他从侍从室外调到三战区,担任建国军总司令,所属部队士兵都是江浙皖南沦陷地区的子弟,听说七分校曾在该沦陷地区招考了一批学生,希望这批学生毕业后,派一部分到俞之军内服务。这样,官兵是同一地区的人,生活习惯接近,可以相处得融洽,以利团结。胡宗南回答说:“俞济时也可以去带兵?” 我反问说:“俞济时怎么不可以去带兵?”他笑了笑说:“俞济时是宁波人,宁波人只能做生意带不了兵。”我反驳他一句说:“胡先生这话我觉得有些不合逻辑。”他听到我批评他说话不合逻辑,鼓起两眼盯住我说:“什么叫逻辑?”我回答说:“胡先生说俞济时是宁波人,只能做生意带不了兵。那么,委员长(指蒋介石)不是宁波人吗?”胡哈哈大笑(哈哈大笑是胡的惯伎,每逢语塞或对问题一时无法解答, 常常以大笑掩盖自己的窘态),随后说:“领袖人物,应作别论。”

阎锡山命人治印自号“匪首”

温振东

1942年暑期“洪炉”(阎锡山为加强其军政建设而进行的训练活动的代号)训练时,阎锡山某次在“洪炉”台上对千余与会者训话。他非常恼怒地说:“近据报告,因我们的军队和地方官员纪律不严,骚害百姓,百姓骂我们是‘土匪’,骂我是‘土匪头子’。从今天起给我刻上个‘匪首’的章子,什么时候军队不扰民了,干部不贪污了,百姓不骂我是‘土匪头子’了,再停止使用。”讲毕怒容不消地走下讲台。凡与会者无不惊恐汗颜。虽有不少高干们觉得有伤体统,再三请求将那方印章取消,但阎均不允。直到是年秋,各地对军队军纪、地方干部作风加以整顿改进,听不到或少听到百姓骂声之后,才在向下行文时将“匪首”二字取消。

冯玉祥请客送礼

田景福

抗战时期，我到重庆参加基督教青年会全国总干事会,会址在歌乐山。大会接到冯玉祥给每一位总干事发来的一张请柬，约我们到他的寓所求精中学便餐。宴会在求精中学二楼一个教室举行,冯玉祥穿一身灰布军服,热情地和我们一一握手。宴会开始后，每人一碗牛肉烧洋芋,一个大丸子(狮子头),一个特大蒸饺(二三两重),一碗鸡蛋汤,一个四川蜜桔,不够时可添米饭,感到既可口,又实惠。冯将军谈笑风生,主要是谈抗日救国的必要性和全民动员等问题。接着冯让副官提来一个皮箱，笑着说:“今天不但请大家吃饭,还要送大家一点礼物。”他打开箱子,拿出他亲笔写好的中堂条幅,每人一张,又笑着说:“留个纪念吧,写得不好。”送给我的一张写的是:“你忘了我国失去的北平、上海、天津、开封、武汉、太原等地吗?”上款是景福先生,下款是冯玉祥。除冯玉祥三字系真楷外,其余都是隶体，苍劲有力。此条幅珍藏到“文化大革命”,被“红卫兵”抄家时抄走了。据我所知,其他总干事条幅的内容和我的基本相同。冯将军的爱国热情,使大家深受感动。

林语堂、胡政之的巧妙“训话”

姚允恭

西安青年劳动营，乃抗战中国民党政府拘禁共产党员及民主人士之集中营，设在西安西郊原东北军营房内。被拘捕入营者，除却遭受非刑拷打、凌辱迫害外，还须接受“感化”。集中营当局曾邀请社会名流李宗仁、白崇禧、罗家伦、林语堂、胡政之等莅营“训话”。余曾在此关押整四年。虽事隔近半个世纪，然对当时林语堂、胡政之两先生的讲话，仍然记忆犹新。

林语堂先生为“幽默大师”，面对数千名在押学员，他绝口不谈政治，而大讲英语中的语态，长达三个小时，详细列举许多例句，反复强调说明：主动语态(the active voice)表示主语是动作的执行者，而被动语态(the passive voice)则表示主语是动作的承受者。因此结论是，要把被动语态变为主动语态，只有改换主语才行。在刺刀警戒下聆听此番“训话”的青年囚徒，都默默咀嚼这意味深长的“改换主语”的启示，其后果不言而喻。

胡政之为《大公报》经理，其言行在左翼青年中素少威望，但此次劳动营讲话，却令人有空谷足音之感。他讲得极为简短，前后仅半小时。他说：“诸位都是对政治不满而到此的。但大家应该明白，中国政治历来是黑暗的，尤其自鸦片战争以来为甚。我劝大家要看清形势与道路，选定正确目标，坚定地走下去。要记住人生是短暂的，切不可反反复复，一悔再悔。”

蒋介石为青年劳动营规定的“感化”目标是“觉迷至速、迁善至勇”，而林语堂的讲话却“王顾左右而言他”，胡政之的讲话又似“弦外有音”。两者都与“觉迷”、“迁善”的宗旨大相径庭。论其效应，实非集中营当局始料之所及。

后 记

西安既为古都，其历史遗存与文化积蕴的丰厚，自在不待言中。即如上自清末下迄1949年建国这一史学区间，古城作为陕西乃至西北的政治、经济、文化中心的地位并未失落，仍有不少壮观的历史活剧重迭发生。众多人物穿插其间，演完各自的一段悄然退去，社会生活的多彩画面也随之变幻无穷。犹若滔滔渭水，秋涨春落，浪花飞溅，洇迹斑斑。其中一些饶有趣味的细节、发人深思的言行、色彩斑斓的场景、能增知识开眼界的轶闻，或被时光的尘土湮没，或为正史的篇章未加记载而鲜为人知。

幸逢中央文史研究馆萧乾馆长为弘扬民族文化，促进文明建设，弥补正史缺漏，振兴笔记文体，倡议编辑出版《新编文史笔记》，我馆欣然响应，广泛征集，挖掘采拾，凡属古城当日事，涉猎遍及各领域，不忌博杂，但求信实。虽有个别篇章及于外地，但总体以显现本地区文化特征为主旨，能潇洒处便潇洒，当平直时便平直。稽核选汰刮垢磨光，前后辑得文稿一百三十余篇，分列十一个栏目，于是便有了这本《风雨长安》，以此敬呈读者，祈予赐正。

在编辑过程中，西安市各级领导及各方人士予我们工作以热情支持；本馆特邀编审赵文杰、姚虹、李正峰先生帮助我们修审了大量稿件；本书编委陈泽秦、陈小波、项宗沛、郗琳、吴永江、冯国雄，特约编辑李国光同志参与了编辑工作的全过程，在此向他们致以衷心感谢。我馆馆长刘祝平同志作为这项工作的实际组织者，发挥了重要的领导作用，但他终于避名不就，令人钦敬。全国《新编文史笔记》丛书编辑部主任姚以恩先生作为本书的特约编审几次亲临西安，具体指导，劳绩甚著，亦致敬意。

编　者